MON CAHIER DE NOËL

D1300782

MON CAHIER DE NOËL

ELLEN BAILEY
TRACEY TURNER
PIERS HARPER

CAR
ACT
ERE

Titres originaux : *The Girls' Christmas Book*
                   The Boys' Christmas Book
                   The Christmas Doodles

Auteurs : Ellen Bailey, Tracey Turner et Piers Harper

Traduit de l'anglais par Michel Saint-Germain

Correction d'épreuve: Richard Bélanger

© 2010 Michael O'Mara Books Limited pour les éditions originales.

© 2011 Éditions Caractère pour la version française.

ISBN : 978-2-89642-362-0

Dépôt légal - Bibliothèque et Archives nationales du Québec, 2011

Nous reconnaissons l'aide financière du gouvernement du Canada par
l'entremise du Fond du livre du Canada pour nos activités d'édition.

Imprimé au Canada

Visitez le site des Éditions Caractère :
editionscaractere.com

Table des matières

Dessine le cadeau parfait.

Termine la décoration de l'arbre de Noël.

Noël dans le monde

On célèbre Noël dans bien des pays. Chacun possède ses propres traditions étranges et merveilleuses. Devine lequel des énoncés suivants est faux. Vérifie ta réponse en page 250.

1. En France, le soir du 6 décembre, le père Noël donne de petits présents aux enfants. Il en distribue aussi la veille de Noël.

2. En Lettonie, le père Noël est encore plus occupé. Il donne des présents chacun des 12 jours à partir de la veille de Noël.

3. Selon la légende grecque, les *killantzaroi* sont de vilains lutins qui sortent à Noël. Le fait de garder un feu allumé dans la cheminée, jour et nuit pendant 12 jours, est censé les tenir éloignés.

4. Au Japon, Hotei-Osho distribue des cadeaux à Noël. On dit qu'il a des yeux derrière la tête pour voir si les enfants ont été sages.

5. En Islande, les *jólasveinar*, 13 créatures semblables à des lutins, en font de belles avant de laisser des présents dans les souliers des enfants à Noël. Ils ont des noms comme Attrape-saucisse, Claque-portes et Lèche-marmite !

6. En Italie, en plus de recevoir des cadeaux du père Noël, les enfants en reçoivent aussi de la part d'une sorcière sympathique appelée *La Befana*.

7. En Ukraine, une famille doit surveiller l'apparition dans le ciel de la première étoile du soir. Une fois qu'ils ont repéré l'étoile, le festin de Noël peut commencer.

8. Les enfants mexicains frappent une *piñata* — Un récipient de papier maché aux couleurs vives, rempli de bonbons — et ramassent les friandises de Noël qui en tombent.

9. En Grande-Bretagne, les enfants accrochent traditionnellement des bas — de grandes chaussettes — à la porte d'entrée pour que Père Noël les remplisse de présents.

10. En Australie, on voit parfois Père Noël surfer sur les vagues la veille de Noël.

Qu'y a-t-il en haut de l'arbre?

Accroche des glaçons à la fenêtre.

Construit d'autres animaux en neige.

Les listes de Noël

Il y a tellement de choses à prévoir à Noël. Complète ces listes de tes « cinq préférences de Noël » pour entrer dans l'esprit des fêtes.

Mes cinq films de Noël préférés

1. ....
2. ....
3. ....
4. ....
5. ....

Mes cinq aliments de Noël préférés

1. ....
2. ....
3. ....
4. ....
5. ....

Mes cinq chansons de Noël préférées

1. ....
2. ....
3. ....
4. ....
5. ....

Mes cinq jeux de Noël préférés

1. ....
2. ....
3. ....
4. ....
5. ....

Mes cinq cadeaux de Noël préférés

1. ....
2. ....
3. ....
4. ....
5. ....

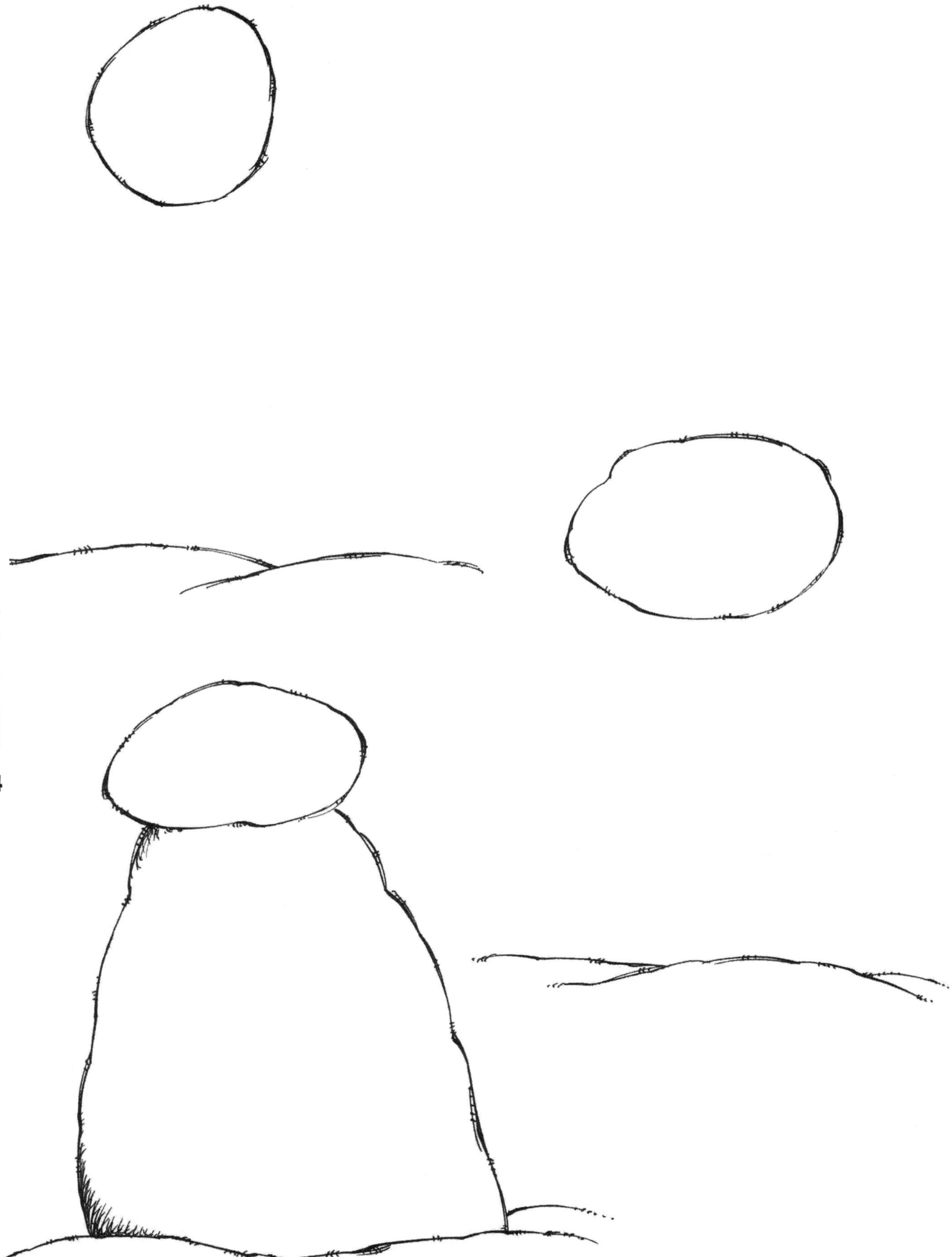

Il est temps de construire des bonshommes de neige.

Courses d'hiver

Tu peux remporter le championnat des sports d'hiver en complétant ces jeux à une vitesse record. Toutes les réponses se trouvent à la page 250.

CHAMPION DE PLANCHE À NEIGE

Charlie le champion surfeur des neiges a mis ses lunettes protectrices.
Sa planche à neige porte des bandes, mais pas d'étoiles. Peux-tu le repérer ?

DES SKIEURS MALINS

Seulement deux de ces skieurs sont exactement pareils. Peux-tu repérer la paire identique ?

Remplis le bol de friandises.

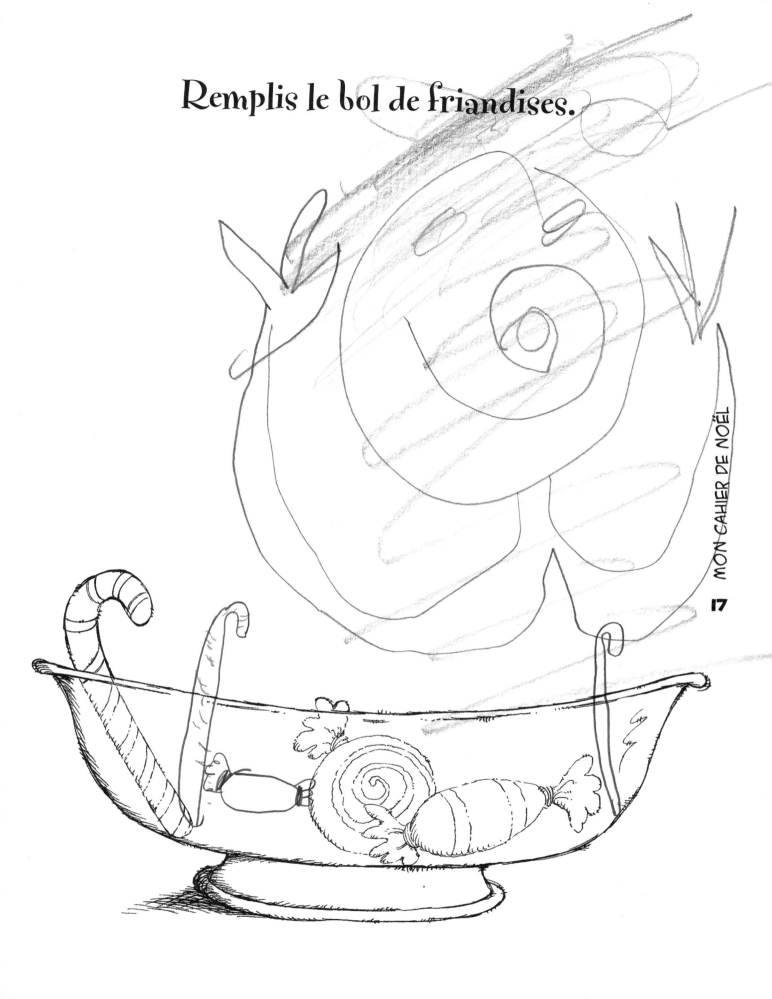

Donne à papa la plus longue de toutes les écharpes.

Course en bobsleigh

Quel bobsleigh est le seul à finir la course ?

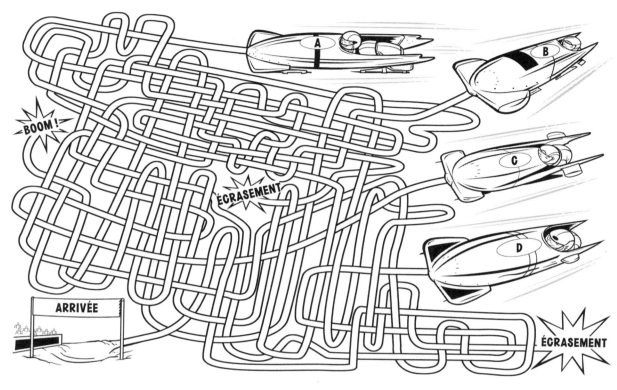

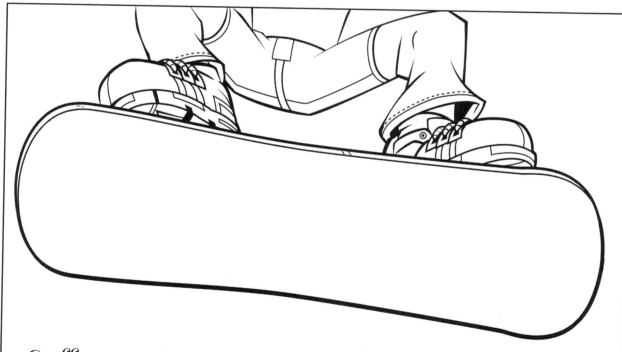

Griffonne un dessin gagnant sur le fond de la planche à neige.

Atelier de jeux

Complète les jeux de l'atelier du père Noël,
puis va à la page 250 pour trouver les réponses.

Peux-tu repérer sept différences entre le père Noël et son frère Cornelius ?

père Noël

Cornelius

Combien de lutins peux-tu compter à l'atelier du père Noël ?

Quels deux rennes sont identiques ?

A B C D E F

Les cadeaux qui figurent sur cette liste de Noël sont quelque part dans l'atelier. Peux-tu tous les trouver ?

Cher père Noël

Cette année, j'aimerais un agenda, un collier, un pony, une maison de poupée et une écharpe, s'il te plaît.

Je t'aime,

Laura xxx

P.S. Joyeux Noël

Biscuits ou oiseaux ?

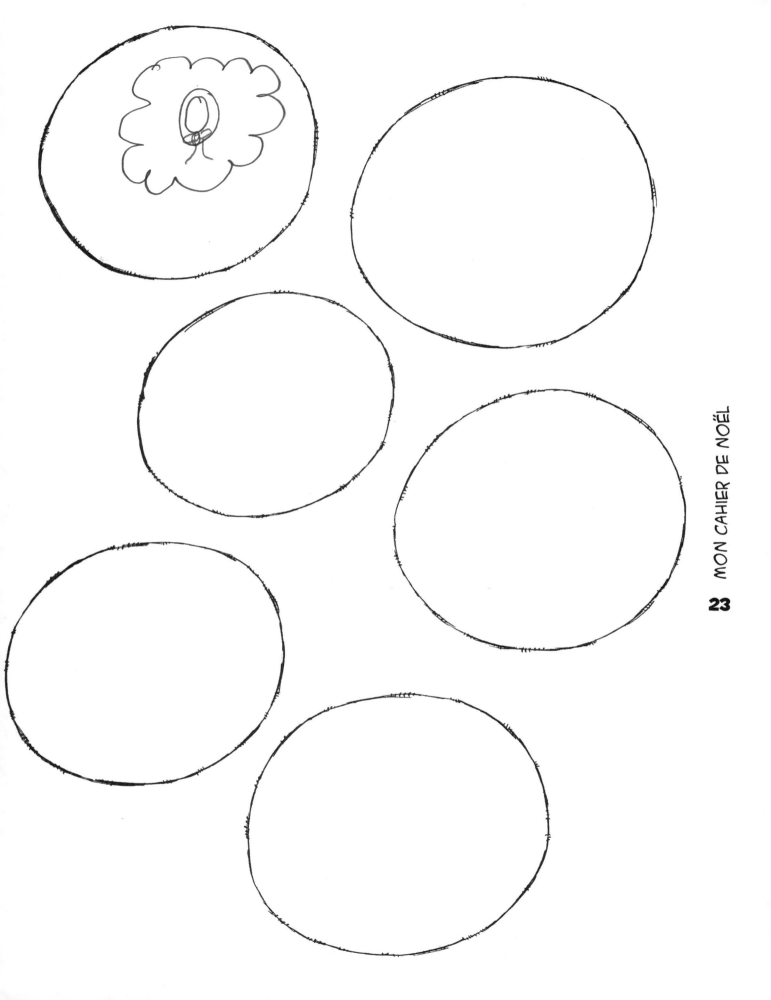

Plaisir des fêtes en famille

Joue à ce jeu-questionnaire de Noël, avec tes amis et ta famille, pour trouver qui sont les vraies étoiles de Noël. Inscris les réponses de chacun des joueurs — A, B, C ou D — au tableau de pointage de la page suivante. Vérifie tes réponses à la page 250.

1. Comment souhaite-t-on Joyeux Noël en espagnol ?

A. Merry Christmas
B. Buon Natale
C. Feliz Navidad
D. Prettige Kersydagen

2. Quelles teintes sont traditionnellement associées à Noël ?

A. Le jaune et le pourpre
B. Le rose et le bleu
C. Le rouge et le vert
D. L'orange et le rouge

3. Comment appelle-ton le 6 janvier ?

A. L'Épiphanie
B. Le banquet d'Étienne
C. L'Après-Noël
D. La fête des Mères

4. Quel moyen de transport utilise traditionnellement le père Noël ?

A. Les skis
B. Un traîneau avec des rennes
C. Un bobsleigh
D. Un cheval blanc

5. Qu'est-ce qu'on trouve traditionnellement à l'intérieur d'un pétard de Noël ?

A. Un avion en papier
B. Une bûche de Noël
C. Une couronne en papier
D. Une tarte aux fruits

6. Santa Claus tire son nom de quel saint ?

A. Saint Clarence
B. Saint Nicolas
C. Sainte Claire
D. Saint Christophe

7. Comment appelle-t-on un chant religieux de Noël ?

A. Un chant de Noël
B. Un cantique de Noël
C. Un hymne de Noël
D. Un air de Noël

8. À quel moment a-t-on mis en vente les premières cartes de Noël ?

A. 1643
B. 1743
C. 1843
D. 1943

9. Dans quel pays le père Noël s'appelle-t-il Swiety Mikolaj ?

A. En France
B. Au Danemark
C. En Syrie
D. En Pologne

11. De quelle couleur est le nez de Rudolphe ?

A. Bleu
B. Vert
C. Rose
D. Rouge

10. Tornade, Danseur, Furie, Fringant, Comète, Cupidon, Tonnerre, Rudolphe et... ?

A. Faucheur   C. Éclair
B. Cogneur   D. Éclisse

12. Avec quelle espèce d'arbre fait-on un arbre de Noël traditionnel ?

A. Sapin
B. Chêne
C. Sycomore
D. Marronnier

Question	Joueur 1	Joueur 2	Joueur 3	Joueur 4
1				
2				
3				
4				
5				
6				
7				
8				
9				
10				
11				
12				
POINTAGE TOTAL				

Qui vient à Noël ?

Une bataille de boules de neige !

Transforme ta chambre en grotte de Noël

Suis ces conseils de décoration pour donner
à ta chambre une allure festive qui te plaira.

COMME C'EST ANGÉLIQUE !

Voici comment fabriquer une chaîne de jolis anges en papier que tu pourras
accrocher dans ta chambre pour lui donner cet effet de magie de Noël.

1. Prends une grande feuille de papier (11 sur 17) et découpe-la dans le sens de la longueur en trois longues bandes de 9 cm de large.

2. Dessine une forme d'ange, semblable à celle que tu vois ci-dessous, à l'extrémité gauche de la première bande, en commençant par l'aile gauche. Assure-toi que l'aile gauche, le haut et le bas de l'ange touchent les bords du papier.

4. Continue à plier le papier en accordéon derrière l'ange.

5. Découpe la forme d'ange, en laissant les plis intacts là où les ailes de l'ange les touchent, de façon à ce que la chaîne ne se brise pas. Enlève tout excédent de papier à l'extrémité de la bande.

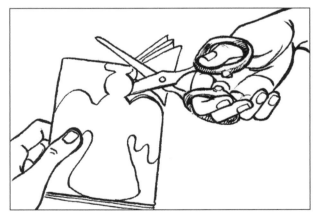

6. Déplie le papier de façon à révéler ta chaîne d'anges. Découpe d'autres anges à partir des deux autres bandes de papier, puis joins-les avec du ruban gommé, de façon à les rassembler en une seule chaîne. Pourquoi ne pas suspendre tes anges en haut de ton lit ou au-dessus de ton bureau ?

3. Plie la bande de papier le long du côté droit de l'ange, de telle sorte que l'aile droite de l'ange touche le pli.

D'étonnants flocons de neige

Les flocons de neige sont faits de cristaux de glace qui forment des dessins magnifiques et complexes. Pour créer ton flocon de neige unique en papier, tu auras besoin d'une feuille de papier carrée d'au moins 20 cm de côté (8 po sur 8) et d'une paire de ciseaux.

1. Plie la feuille de papier en diagonale de façon à obtenir un triangle, et appuie bien sur le pli.

2. Replie le triangle en deux le long du côté le plus long, de manière à former un plus petit triangle.

3. Tourne le triangle de façon à ce que le côté le plus long soit en haut. Puis, replie le coin droit de façon à couvrir juste un peu plus de la moitié du triangle.

5. Coupe les deux pointes au sommet du triangle, afin d'obtenir un bord plat au sommet.

6. Il est temps de bien utiliser les ciseaux. Découpe des formes tout autour des bords de ton triangle — de plus petits triangles, des demi-cercles, des rectangles, des carrés et des formes fantaisistes, plus elles sont grosses et audacieuses, mieux c'est.

7. Déplie le flocon de neige terminé

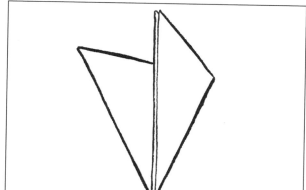

4. À présent, replie l'autre coin de façon à ce que ses lignes de contour soient alignées avec le côté opposé du triangle.

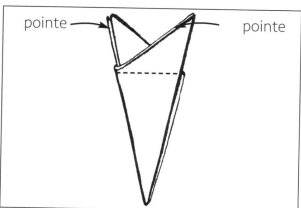

pointe → ← pointe

et colle-le à ta fenêtre avec du ruban gommé. Fais-en beaucoup d'autres, en utilisant du papier de taille différente, de façon à créer une rafale de magnifiques flocons de neige que tu verras chaque fois que tu ouvriras tes rideaux.

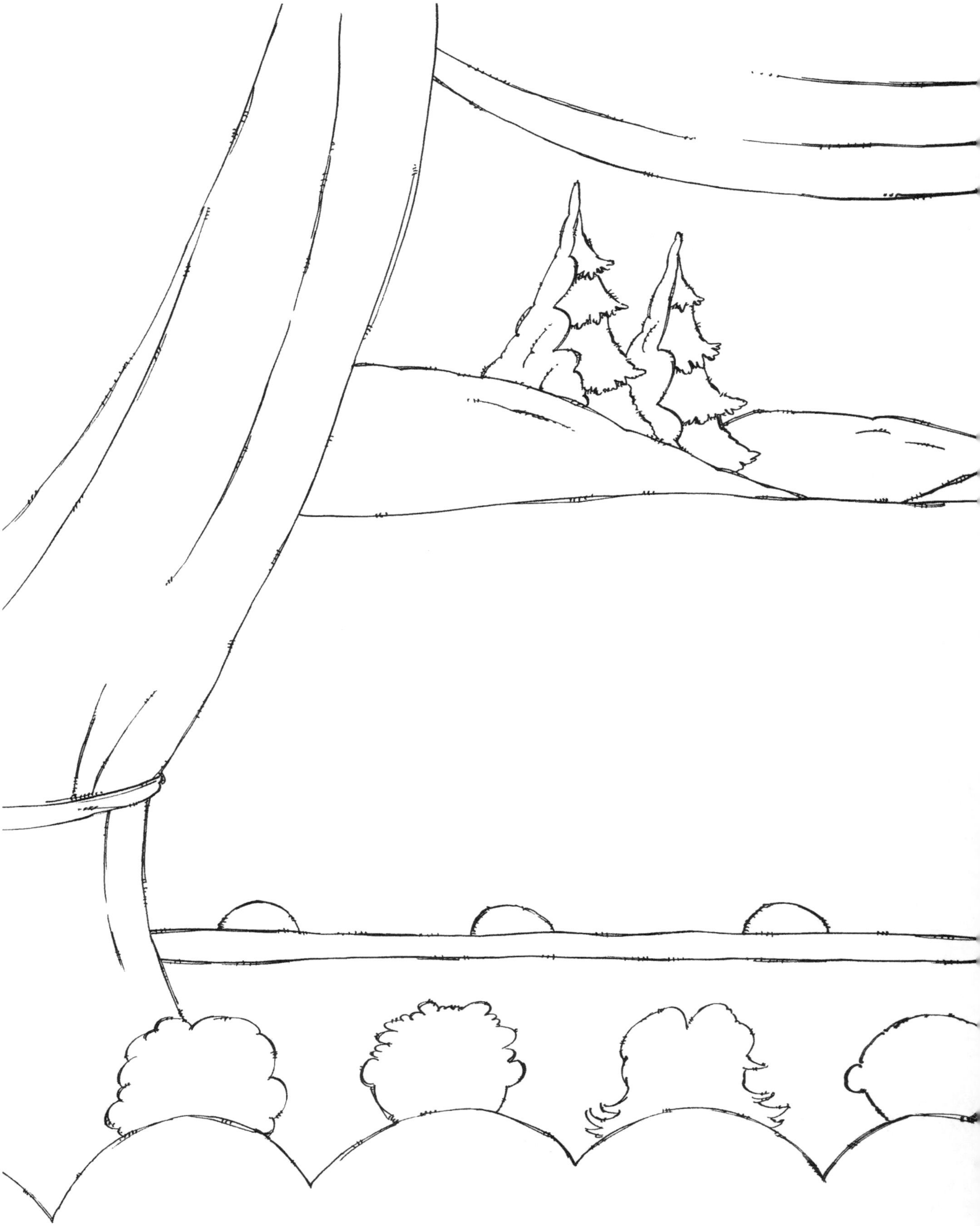

Monte un spectacle de Noël.

C'est un diablotin !

À Noël en Grande-Bretagne, on fait traditionnellement éclater des diablotins (ou pétards de Noël) à la table du dîner.

Prépare-toi au défi de diablotins de Noël et fabrique tes propres pétards.

Pour chacune de ces papillottes, il te faudra:

• ciseaux • papier collant • deux tubes de papier de toilette • papier cadeau
• deux longueurs de ruban de 50 cm
• un « cracker snap » (en vente dans les boutiques d'artisanat) • des cadeaux à mettre à l'intérieur des pétards.

DÉCOUPE !

1. Découpe un rectangle de papier cadeau. Il doit avoir deux fois et demi la longueur d'un tube de rouleau de papier de toilette, et être assez large pour en faire le tour une fois et demi.

2. Place un tube au milieu de l'un des longs bords du papier cadeau.

3. Coupe en deux l'autre rouleau .

4. Place chaque moitié de chaque côté de l'autre tube, avec un jeu de 5 cm entre les deux.

5. Place le « cracker snap » sur le papier à côté eux, comme dans l'illustration ci-dessous.

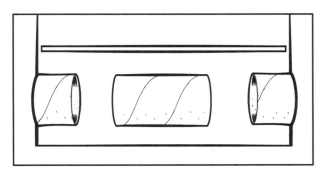

6. Enroule le papier cadeau autour des tubes et colle ensemble les bords, comme dans l'illustration ci dessous.

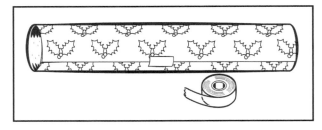

7. Pince soigneusement le papier entre une extrémité du tube entier et une extrémité du demi-tube. Attache-le avec l'un de tes bouts de ruban.

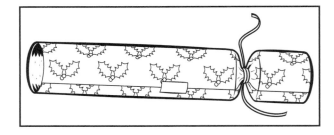

8. Trouve de beaux cadeaux à mettre dans ton diablotin. Voici quelques idées:

• une blague vieux-jeu sur un bout de papier
• une couronne en papier
• des paillettes (pour créer une averse surprise quand tu tireras le diablotin)
• des bonbons ou du chocolat emballés
• des ballons aux formes amusantes

9. Insère les cadeaux par le bout ouvert du diablotin.

10. Pince l'autre bout du papier entre le tube entier et le demi-tube, et attache-le avec un ruban.

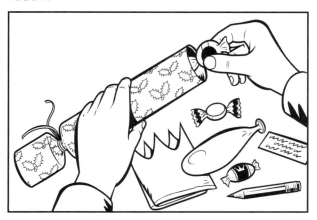

11. Fabrique suffisamment de diablotins pour que chacun en tire un au dîner de Noël.

Pourquoi ne pas mettre au défi le reste de ta famille au cours d'une compétition de fabrication de diablotins ?

La première personne qui complète son diablotin et qui le tire avec son voisin gagne.

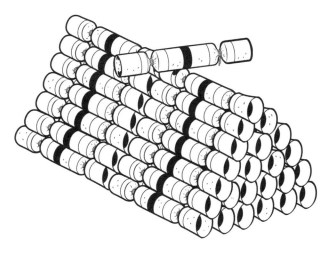

Qu'est-ce qui sort du diablotin de Noël ?

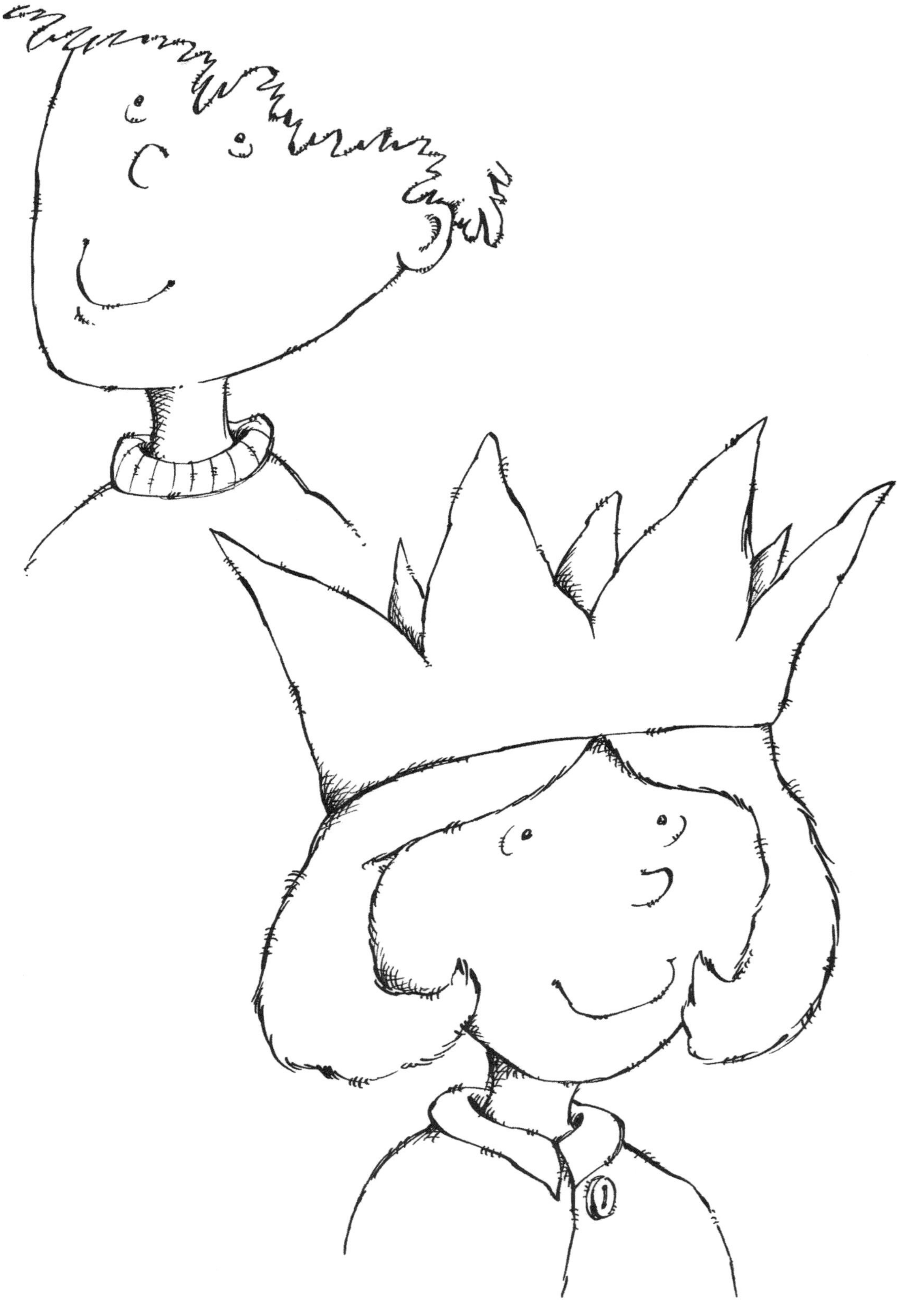

Donne-nous des chapeaux de fête.

Mets des bonnets de laine.

Remplis le panier d'osier de friandises des fêtes.

Fais un arbre de Noël

En suivant ces étapes, tu peux confectionner un magnifique arbre de Noël miniature pour ta chambre.

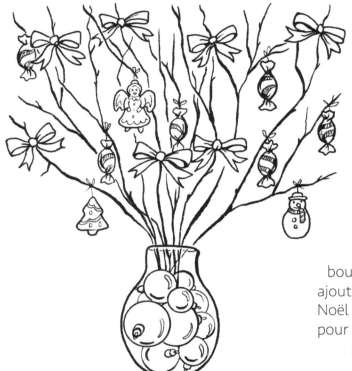

1. Remplis un vase en verre clair de brillants ornements de Noël — cela formera la base de ton arbre de Noël.

2. Collectionne les branchettes ou les rognures de conifères et dispose-les soigneusement dans le vase. Tu peux demander à tes parents quelques petits morceaux de l'arbre de Noël familial, si tu en as un vrai.

3. Choisis un joli ruban et attache-le en boucles sur les branches. Pourquoi ne pas ajouter des chocolats en forme d'arbre de Noël emballés dans le papier d'aluminium, pour cette touche particulière ?

Trucs et conseils de Noël

• Entoure ton miroir de guirlandes clignotantes pour ajouter un chic hollywoodien à tes décorations de chambre à coucher.

• Dispose des guirlandes de Noël argentées au haut de tes photos encadrées, ou fixe-les à ton bureau ou à ta table de chevet avec du ruban gommé.

• Fais une liste de beaux airs de Noël pour te mettre dans l'ambiance festive. Tu peux même inviter tes amies à chanter en chœur des chants de Noël.

Qu'y a-t-il dans la vitrine de la boutique de jouets ?

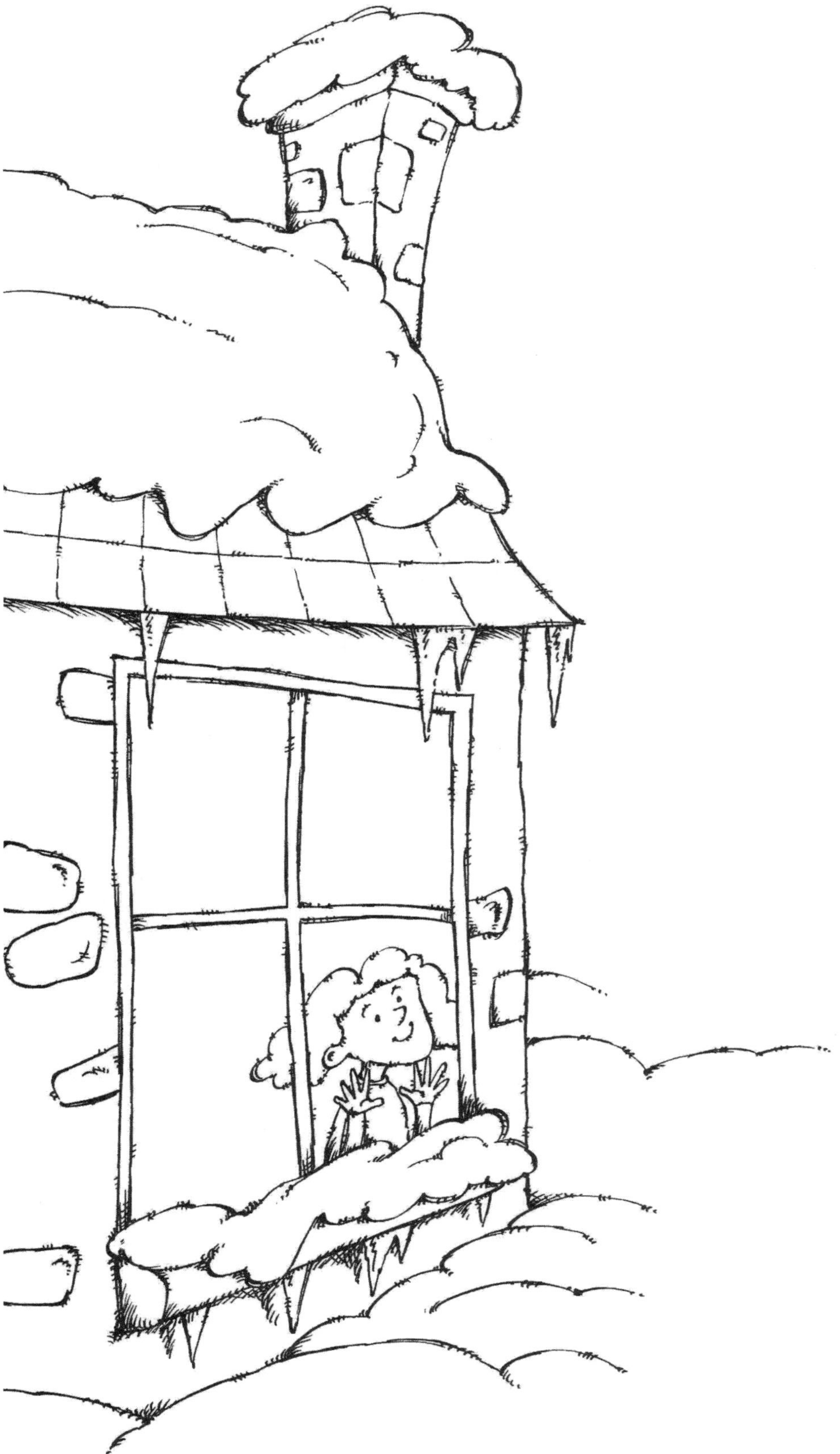

Qu'y avait-il dehors, la veille de Noël ?

Vive le renne !

Copie le dessin en utilisant la grille ci-dessous et créer ton propre Rudolphe le renne au nez rouge.

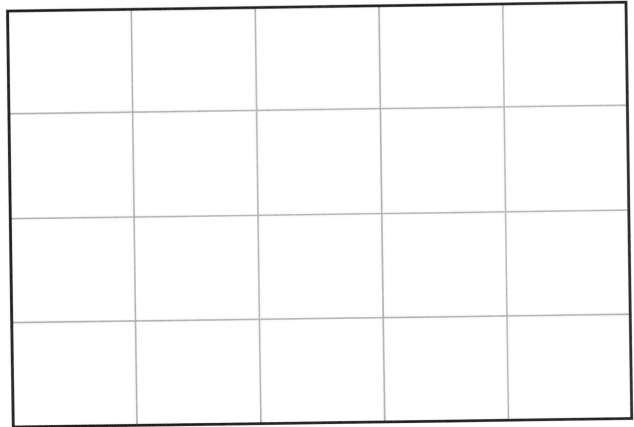

Décore ton calendrier de l'avent.

Mets tes patins !

Les filles veulent patiner jusqu'aux bonshommes de neige qu'elles ont fabriqués. Tu peux trouver quelle fille a fait quel bonhomme de neige en associant les motifs de leurs écharpes. Les filles peuvent patiner tout droit, vers le bas et vers le côté, mais pas en diagonale d'un carré à l'autre. Une seule fille peut traverser chaque carré. Peux-tu dessiner une route pour chaque fille ?
La première est déjà faite. Tu trouveras les réponses à la page 250.

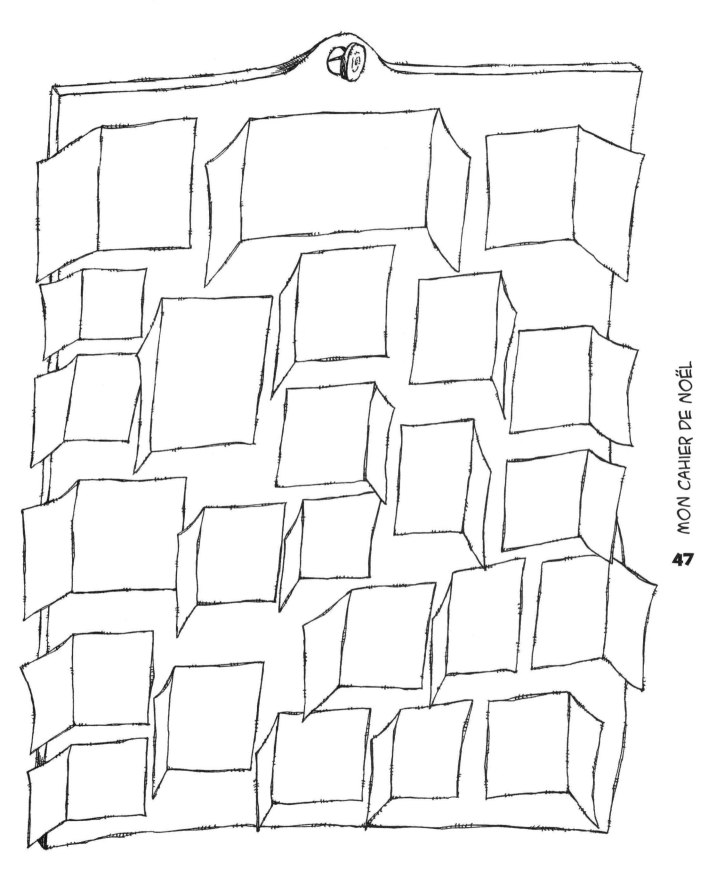

Qu'y a-t-il à l'intérieur des portes ?

Qu'y a-t-il à dîner à Noël?

Le jeu de la canne de Noël

Peux-tu repérer les 20 cannes de Noël qui sont cachées dans ce chalet de ski ? Toutes les réponses se trouvent à la page 251.

Dessine au père Noël une barbe broussailleuse.

Des friandises en forme de bonshommes de neige

Ces délicieux bonshommes de neige à la noix de coco constituent une friandise de Noël parfaite.

Pour confectionner cinq bonshommes de neige, il te faudra:

- 200 g (⅔ de tasse) de lait condensé • 150 g (1 ½ tasse) de noix de coco séchée
- 200 g (1 ⅔ tasse) de sucre à glacer + 50 g (3 ½ c. à table) en supplément
- 3 c. à café d'eau • des raisins secs • des lacets de réglisse rouge

Ce qu'il faut faire:

1. Place une feuille de papier sulfurisé dans une grande assiette.

2. Mélange le lait condensé, la noix de coco et le sucre à glacer dans un bol.

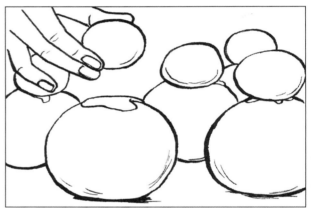

7. Utilise le reste de la pâte pour coller aux bonshommes des yeux, des bouches et des boutons en raisins secs. Coupe de très petits bouts de réglisse rouge pour créer les nez. Puis, enroule de plus longs bouts de réglisse autour des cous des bonshommes pour faire les écharpes. Tes bonshommes sont prêts à déguster — miam !

3. Saupoudre tes mains de sucre à glacer pour empêcher le mélange de coller, puis roule-le en cinq grosses boules pour faire les corps et cinq boules plus petites pour les têtes.

4. Place les boules sur l'assiette et laisse-les au frigo pendant cinq heures.

5. Mélange le supplément de sucre à glacer à 3 c. à café d'eau pour créer une pâte sucrée.

6. Utilise la pâte pour coller les petites boules sur les plus grosses, de façon à créer cinq bonshommes de neige.

Décore les biscuits.

Le mystère du monstre des neiges affamé

Alex et Xavier ne pouvaient attendre avant d'ouvrir leurs présents, le matin de Noël, mais allaient-ils sortir vivants des profondeurs de la forêt sombre ?

Tôt, le matin de Noël, Xavier descendit doucement l'escalier. Xavier et son frère cadet, Alex, étaient fatigués, mais pas parce qu'ils étaient restés éveillés pour attendre la visite du père Noël.

Les garçons étaient restés éveillés jusqu'après minuit, à écouter leur grand-père. Il leur avait raconté la légende du monstre des neiges affamé, qui habitait dans les grands bois juste derrière leur maison. Il leur avait expliqué que le monstre quittait les bois à l'aube, chaque Noël, à la recherche d'un festin.

Alors que Xavier descendait les marches sur la pointe des pieds, il entendit un bruissement. Il vaut mieux qu'Alex n'ouvre pas les présents, se dit-il.

Il découvrit que l'entrée principale était grande ouverte et que le vent soufflait des feuilles de journaux partout. En courant fermer la porte, Xavier vit Alex qui courait dans une épaisse couche de neige. Xavier se précipita vers le jardin en sautant à cloche-pied

alors qu'il essayait de mettre ses bottes.

« Alex ! Qu'est-ce que tu fais là ? » cria-t-il, mais son frère ne s'arrêta pas. En regardant les bois au loin, Xavier sentit un frisson de peur courir dans son dos — il se rappela ce qu'avait dit son grand-père à propos du monstre des neiges affamé... mais même s'il avait peur, il respira profondément l'air glacé et courut trouver son frère.

Les deux se précipitèrent ensemble à travers un grand champ blanc, laissant des empreintes de pieds dans la neige fraîche.

Lorsque Xavier rattrapa Alex, il remarqua un autre ensemble d'empreintes — plus grosses — qui disparaissaient dans la forêt obscure.

Alex s'arrêta, en poussant de petits nuages alors qu'il cherchait à reprendre son souffle. « C'est Rufus » dit-il, haletant. « J'ai ouvert la porte pour regarder la neige, et ce satané chiot a disparu ! Il faut le trouver ! »

Ils regardèrent attentivement dans le bois de vieux arbres tordus et d'épaisses broussailles. « Euh, ces empreintes semblent un peu grosses pour un chiot. Elles pourraient appartenir à… au… » Xavier déglutit. « Au monstre des neiges ! »

Alex hocha nerveusement la tête. Xavier prit un gros bâton et tendit à Alex un glaçon acéré qui était tombé d'une branche d'arbre.

Les garçons entrèrent dans les bois. Des ronces leur déchirèrent les vêtements alors qu'ils parcouraient l'étroit sentier à peine éclairé en faisant craquer la neige sous leurs pas.

Il n'y avait aucun signe de Rufus, mais les garçons continuèrent de marcher. C'était étrangement calme, jusqu'à ce que les garçons entendent un cri féroce.

Xavier se retourna rapidement en brandissant le bâton. Non loin, une rangée de dents acérées et deux yeux globuleux luisaient dans l'ouverture d'une caverne.

« Alex ! » murmura Xavier en regardant la neige. « Des empreintes. Des empreintes de chiot ! » Rufus doit être dans le repaire du monstre. Comment donc allaient-ils le sauver sans devenir le goûter de Noël du monstre des neiges ?

Grrrrrrrr ! Le grognement du monstre se réverbéra à travers les arbres. Xavier bondit de frayeur jetant son bâton en l'air. Xavier ferma bien fort les yeux alors qu'une créature sombre et velue bondissait de la caverne. Le monstre attaquait !

Quand Xavier finit par ouvrir les yeux, Alex était étendu au plancher et riait comme un fou. La bête avait attrapé le bâton et l'avait docilement laissé tomber aux pieds de Xavier.

Le « monstre » de la caverne se trouvait être Cacao — le chien de leur ami —, qui était suivi de Rufus, sain et sauf. Xavier soupira de soulagement. « Allez, vilains chiens. Rentrons », dit-il.

En arrivant au jardin, les garçons entendirent un autre rugissement. Le monstre des neiges les avait-il trouvés ? Non. Le bruit venait de tout près : « Les garçooons ! Où étiez-vous ? »

MON CAHIER DE NOËL

55

Babioles ou poudings ?

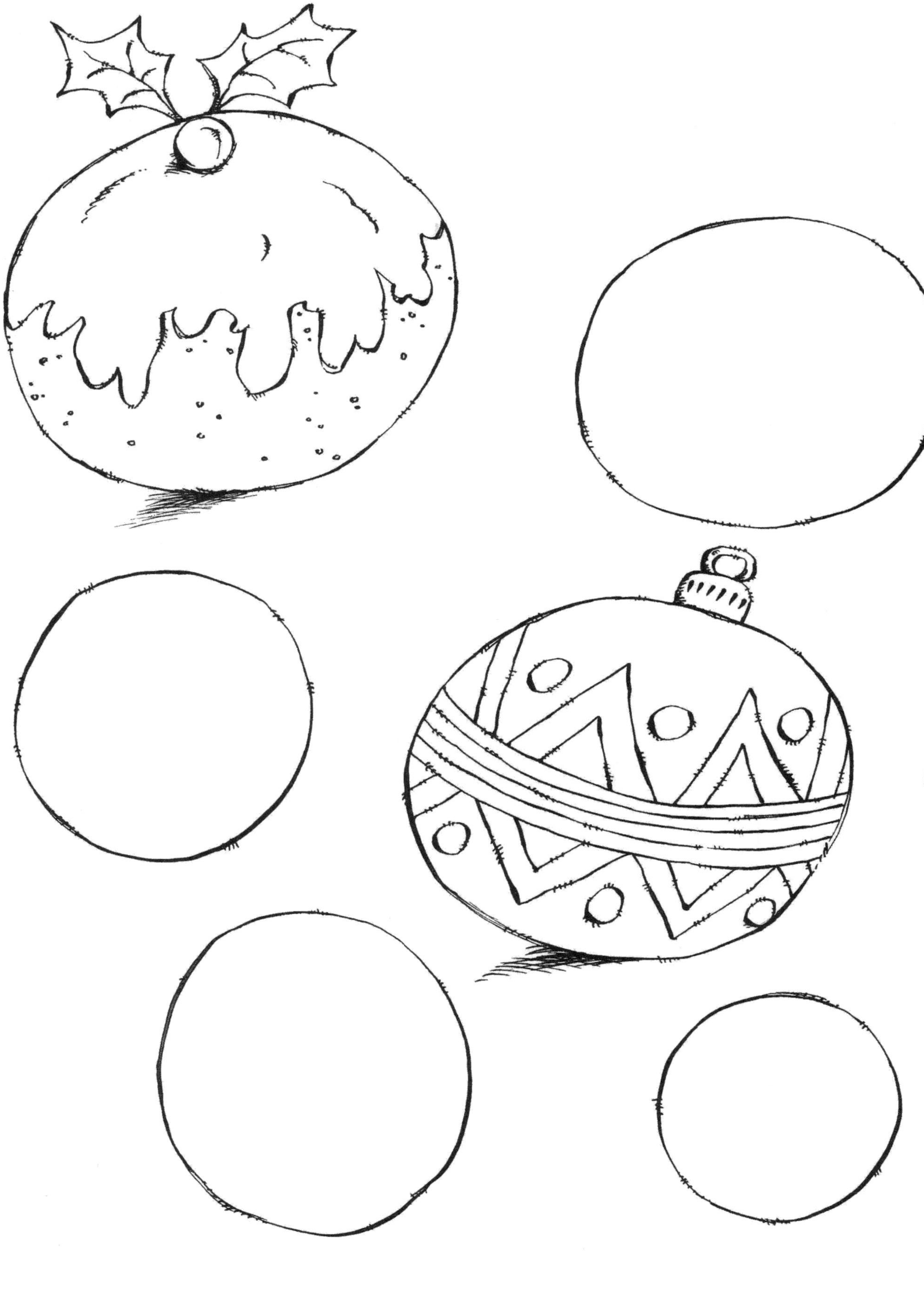

Fais un vœu à la bonne étoile

À l'intérieur de chacune des étoiles ci-dessous, nomme un présent qui se trouve sur ton ultime liste de souhaits de Noël. Lorsque chaque étoile sera remplie, vois si tu peux dessiner une autre étoile à cinq branches, plus grande que toutes les autres, et qui n'en touche aucune. La solution se trouve à la page 251.

Qu'est-ce qu'on mange
au petit déjeuner à Noël ?

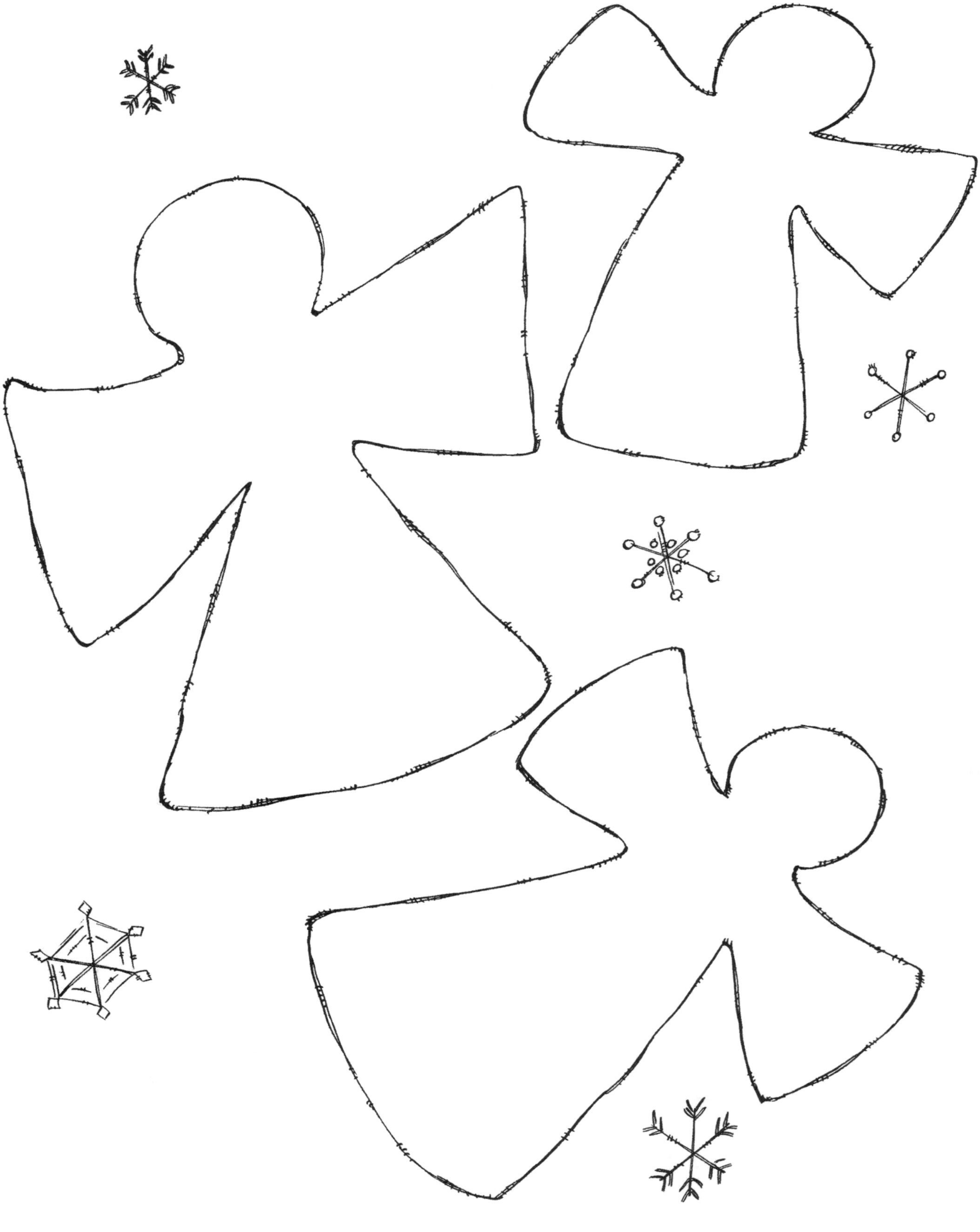

Sara

Qui a fait les anges de neige ?

Le décryptage de Noël

Aide le père Noël à décrypter une liste de souhaits codée et à résoudre une chasse au trésor codée en utilisant ces amusants codes de Noël. Toutes les réponses se trouvent à la page 251.

Comme le sait tout agent secret, un code est une façon de cacher des messages en replaçant soit des mots entiers par un mot différent, soit des lettres par des symboles, des nombres ou d'autres lettres. Les codes suivants brouillent l'alphabet de façon à masquer un message.

CODE ALPHABÉTIQUE DE L'AVENT

Pour écrire ce code alphabétique, remplace tout simplement chaque lettre de ton message par une lettre située deux positions plus loin dans l'alphabet. Par exemple, si tu veux écrire un A, tu dois compter deux lettres de plus dans l'alphabet: ainsi, A devient C. Si tu veux écrire un Z, recommence au début de l'alphabet: ainsi, Z devient B.

'JOYEUX NOËL devient LQAGWZ PQGN

Pour rendre le décodage encore plus difficile, enlève les espaces entre les mots, ou groupe les lettres par trois ou quatre pour confondre le lecteur. Par exemple, LQAG WZPQ GN.

LISTE DE SOUHAITS CRYPTIQUE

Comme Jacques croit qu'il a été particulièrement sage cette année, il se dit qu'il peut se permettre de jouer un vilain tour au père Noël...

Il a écrit sa liste de souhaits dans un code alphabétique, mais dans son code, il a reculé de six lettres dans l'alphabet.

Peux-tu aider le père Noël à décoder la lettre de Jacques?

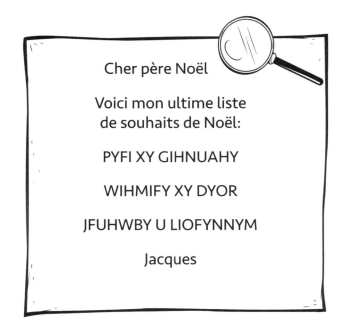

Cher père Noël

Voici mon ultime liste de souhaits de Noël:

PYFI XY GIHNUAHY

WIHMIFY XY DYOR

JFUHWBY U LIOFYNNYM

Jacques

BROUILLAGE DES FÊTES

Ce code brouille les lettres de chaque mot de façon à leur enlever leur sens. Par exemple :

BISCUITS DE NOËL devient
SUTSBICI ED ËLNO

Trouve les indices ci-contre pour découvrir où est caché un cadeau secret.

Pourquoi ne pas organiser ta propre chasse au trésor en utilisant des indices codés pour ta famille à Noël ?

Cache les indices à l'avance, puis donne le premier indice pour permettre à ta famille de commencer. N'oublie pas de cacher un cadeau — un sac de pièces de monnaie de chocolat est le trésor parfait.

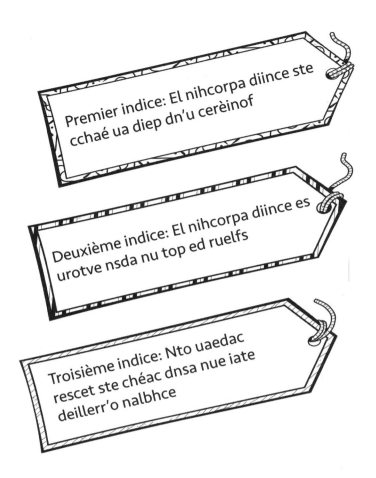

Premier indice : El nihcorpa diince ste cchaé ua diep dn'u cerèinof

Deuxième indice : El nihcorpa diince es urotve nsda nu top ed ruelfs

Troisième indice : Nto uaedac rescet ste chéac dnsa nue iate deillerr'o nalbhce

ÉTIQUETTES DE CADEAUX CODÉES

On peut aussi fabriquer des codes en utilisant des nombres. Pour préparer ce code, tu dois remplacer chaque lettre de l'alphabet par un nombre qui correspond à sa position dans l'alphabet. Par exemple :

A = 1, B = 2, et ainsi de suite

Peux-tu découvrir à qui sont destinés ces cadeaux de Noël ?

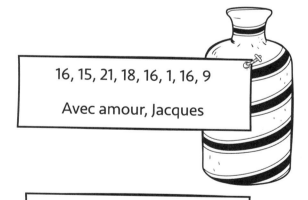

16, 15, 21, 18, 16, 1, 16, 9

Avec amour, Jacques

16, 15, 21, 18, 13, 1, 13, 9, 5

Avec amour, Jacques

16, 15, 21, 18, 18, 21, 6, 21, 19, 12, 5, 3, 8, 9 5, 14

Avec amour, Jacques

Remplis le ciel de neige.

Jeu-questionnaire de Noël

Évalue ta connaissance de Noël au moyen de ce super jeu-questionnaire.
Toutes les réponses se trouvent à la page 251.

1. Si tu es né le jour de Noël, quel est ton signe astral ?

A. Sagittaire

B. Bélier

C. Balance

D. Capricorne

3. Quel est l'autre nom de la Saint-Étienne ?

A. Après-Noël

B. Veille de Noël

C. Jour de Noël

D. Veille du Jour de l'An

2. Où habite le père Noël ?

A. Au Pôle Nord

B. En Antarctique

C. En Nouvelle-Zélande

D. En Russie

4. De quelle couleur sont les fruits du houx ?

A. Noirs

B. Bleus

C. Rouges

D. Pourpres

Termine les toits et remplis le ciel d'étoiles.

5. Sous quelle plante s'embrasse-t-on à Noël ?

A. Le houx

B. Le gui

C. Le lierre

D. La fougère

8. Qu'arrive-t-il à un pouding anglais de Noël avant d'être servi ?

A. On l'allume

B. On le jette en l'air

C. On le cache dans une armoire

D. On le couvre de crème

6. Lequel des noms suivants n'appartient pas à un renne du père Noël ?

A. Tornade

B. Danseur

C. Fringant

D. Mickey

9. À quel endroit fut envoyée la première carte de Noël ?

A. En Australie

B. En Angleterre

C. En Amérique

D. En Islande

7. De quel type est un arbre de Noël traditionnel ?

A. Chêne

B. Bouleau argenté

C. Sapin

D. Séquoia géant

10. Où est né le compositeur du chant populaire « Sainte Nuit » ?

A. En Amérique

B. En France

C. En Autriche

D. En Italie

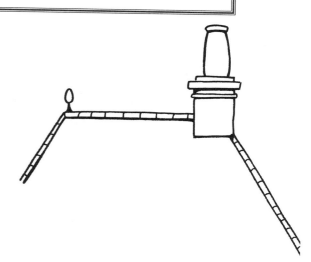

Que fabriquent les lutins ?

Qu'est-ce que le père Noël a laissé tomber ?

Qui chante des chants de Noël?

Les bouffonneries de lutins

Donne un coup de main aux petits assistants en résolvant les casse-têtes des lutins. Toutes les réponses se trouvent à la page 251.

LES CADEAUX CACHÉS

Lucien le Lutin a perdu six cadeaux. Peux-tu les repérer et écrire leurs coordonnées ? Pour trouver ces coordonnées, écris la lettre de la rangée et le numéro de la colonne dans lesquelles il apparaît. Par exemple, il y a un cochonnet-jouet en A1.

1. Soldat jouet

2. Téléphone

3. Minimoto

4. Auto jouet

5. Robot jouet

6. Dinosaure

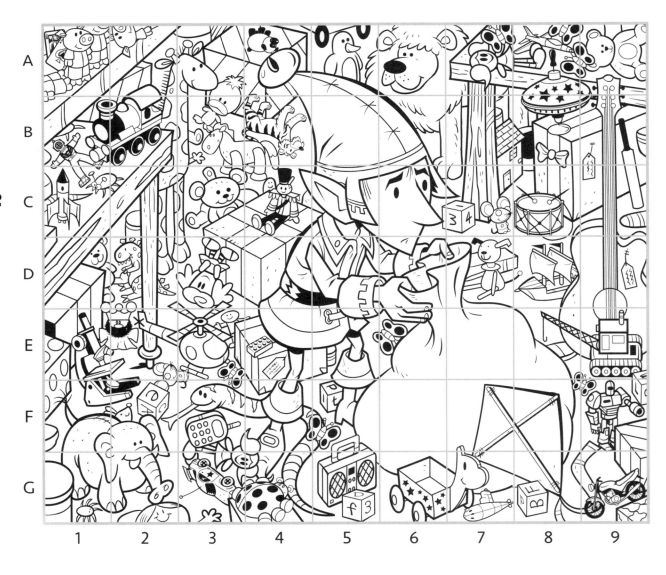

TOUT EMBALLÉ

Luc le Lutin Distrait a oublié ce qu'il y a à l'intérieur de ces emballages. Peux-tu l'aider ?

1. Luc se rappelle avoir emballé le train-jouet dans un emballage à motif d'arbres de Noël. Il a aussi un ruban rayé. Dessine un cercle autour du présent qui contient le train-jouet.

2. Luc se rappelle avoir emballé le pistolet à eau dans du papier qui n'a pas d'arbre de Noël. Il est entouré d'un ruban sans boucle. Dessine un carré autour du présent qui contient le pistolet à eau.

CONSTRUIS L'AUTO JOUET

Lucas le Lutin a besoin de ton aide. L'une de ces boîtes contient toutes les pièces qu'il lui faut pour assembler cette auto jouet, mais il ne peut trouver laquelle.

Peux-tu l'aider ?

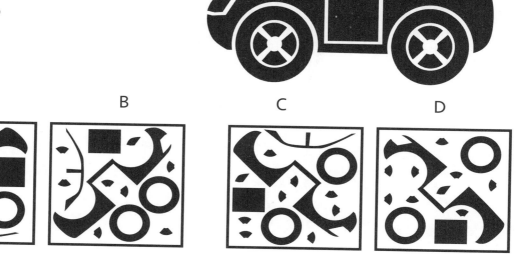

A   B   C   D

Cache des cadeaux dans la maison.

Le chaos des emplettes de Noël

Ah non ! Sarah a laissé ses sacs d'emplettes au café.
Peux-tu l'aider à retrouver son chemin à travers le dédale
de rues pour les retrouver ? Tu trouveras la solution à la page 252.

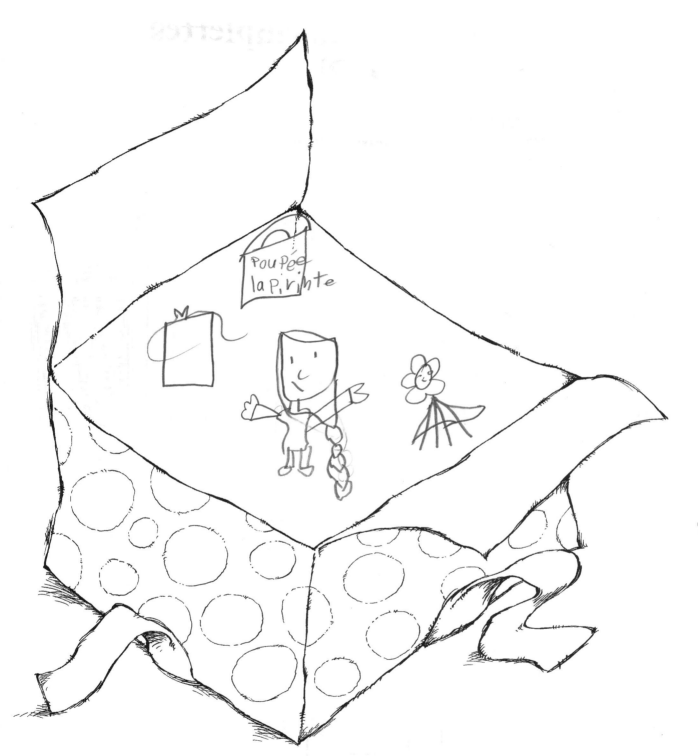

Qu'y a-t-il dans la boîte-cadeau ?

Qu'y a-t-il dans le bol?

Dessine d'autres cadeaux sur le tapis roulant.

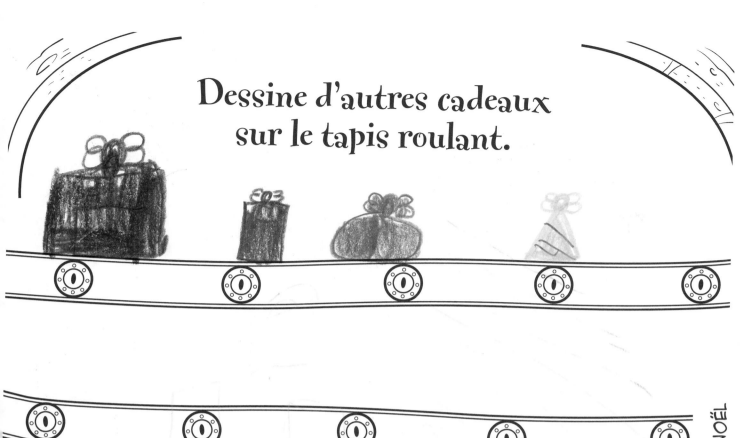

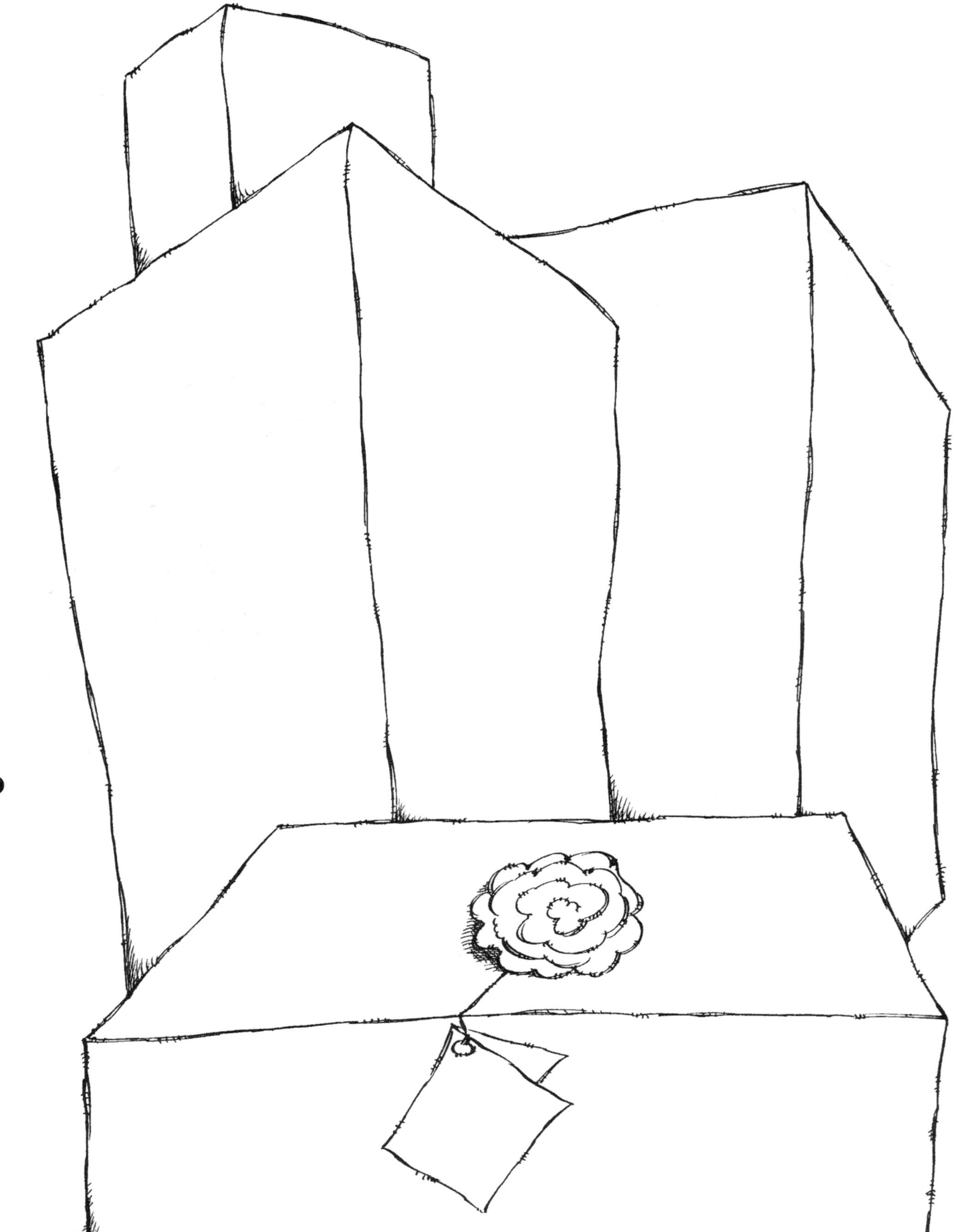

Emballe les cadeaux dans du joli papier.

Décore le traîneau du père Noël
de motifs festifs.

Joyeux dédale

Au parc thématique du père Noël, peux-tu te rendre de l'entrée jusqu'à l'atelier sans omettre une seule boîte-cadeau ? Lorsque tu auras fini, peux-tu revenir sur tes pas sans oublier un seul sac ? Vérifie ton trajet à la page 252.

Remplis le ciel d'étoiles...

... et ajoute des cheminées pour le père Noël.

Beauté de Noël

Suis ces conseils pour avoir ce supplément d'éclat de Noël.

UN FABULEUX RUBAN FRISÉ

Tu peux créer une jolie coiffure des fêtes en utilisant du ruban à cadeaux. Voici comment...

1. Coupe trois segments de 50 cm de bolduc (ou petit ruban à boucle). Avec ton pouce, tiens le côté plat de chaque bout de ruban contre la lame d'une paire de ciseaux ouverte.

2. Racle soigneusement le dessous du ruban avec les ciseaux, de façon à créer des spirales serrées.

3. En pinçant les rubans au milieu, tu peux former un pli, et les enfiler à une pince à cheveux, de telle façon que le pli soit posé dans la courbe au bout de la prise. Fais un nœud à chacun pour les fixer à la pince à cheveux.

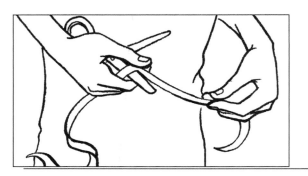

UNE PEAU RADIEUSE

Garde ta peau douce et radieuse pour la saison des fêtes.

Utilise une brosse corporelle sèche sur tout ton corps avant de prendre un bain ou une douche. Fais des gestes larges en balayant ta peau, et brosse toujours en direction de ton cœur. Cela éliminera les cellules mortes et rendra ta peau superdouce. Cela améliorera aussi ta circulation et te donnera une belle allure.

DES LÈVRES AU MIEL

Adoucis tes lèvres avec un délicieux baume à lèvres maison.

Trouve un petit contenant pour garder ton baume à lèvres et lave-le bien avec du savon et de l'eau. Place trois cuillerées à café bien pleines de gelée de pétrole dans un bol, et ajoute une grande cuillerée à café de miel coulant. Utilise le dos d'une cuiller pour tout mélanger jusqu'à ce que cela forme une pâte onctueuse. Verse le mélange dans ton contenant et ton baume à lèvres au miel est prêt à l'utilisation.

UNE CHEVELURE PARFAITE POUR LES FÊTES

Crée des boucles de Noël avec cette chic coiffure.

1. Peigne tes cheveux en formant une raie sur le côté.

2. Vaporise beaucoup de laque sur tes cheveux pour les préparer à la structure. N'oublie pas de garder les yeux et la bouche fermés pendant que tu vaporises.

3. Frise tes cheveux par petites sections en utilisant des rouleaux. Prends une petite section de cheveux et emballe-la autour du rouleau en commençant par le bout. Enroule-la jusqu'à ce que tu arrives à ta tête.

4. Vaporise encore la laque, et enlève les rouleaux. Tes cheveux devraient maintenant avoir des boucles serrées.

5. Brosse doucement les boucles pour créer de voluptueuses ondulations.

6. Utilise des pinces à cheveux ou des barrettes pour fixer sans serrer les sections avant de tes cheveux aux côtés de ta tête au-dessus de tes oreilles.

7. Pour une touche de finition fabuleuse, fixe derrière ton oreille le magnifique ruban bouclé (voir page précédente).

Dessine une carte de Noël électronique.

Mets des chapeaux de fête aux chiots.

L'Arctique

Destination: pôle Nord

Trouve des renseignements frais sur le lieu de résidence
du père Noël et fabrique un igloo qui ne fond pas! Voici comment.

À PROPOS DU PÔLE

• Le pôle Nord est le point le plus septentrional de la planète Terre. Il n'y a pas de terre là-bas, juste de la glace marine d'une épaisseur de 2 à 3 m.

• Personne n'habite au pôle Nord, mais des gens vivent dans le cercle arctique — la zone qui entoure le pôle Nord.

• La température au pôle Nord varie de 0 °C en été à -43 °C en hiver.

• Le pôle Nord passe la moitié de l'année dans l'obscurité. Le soleil se lève au pôle Nord vers le 21 mars et ne se couche que vers le 21 septembre. Pendant les six mois suivants, le pôle est plongé dans l'obscurité jour et nuit.

• En Alaska, il y a une ville appelée North Pole, avec des noms de rues comme Santa Claus Lane et Saint Nicholas Drive. Ses lampadaires sont même décorés de façon à ressembler à des cannes de Noël.

Dessine d'autres phoques de l'Arctique sur la glace.

QUESTION SUR LE PÔLE NORD:
Pourquoi les ours polaires ne mangent-ils pas les manchots? La réponse est en page 252.

IGLOO EN GUIMAUVE

Tu n'as pas besoin de neige pour construire cet igloo. Lorsque tu l'auras fini, fais une place d'honneur au milieu de la table du dîner de Noël pour que tout le monde l'admire — et la savoure !

Il te faudra:

• un cercle de carton blanc de 15 cm de diamètre • un grand paquet de grosses guimauves • 300 g (2 ⅓ tasses) de sucre à glacer • 4 c. à table d'eau
• un couteau de table • une poignée de sucre à glacer à saupoudrer

1. Pour construire la rangée du fond de ton igloo, dispose des guimauves autour du bord du carton circulaire. Laisse un écart de 5 cm dans le cercle pour l'entrée.

2. Confectionne une pâte épaisse de sucre à glacer en mélangeant le sucre à glacer et l'eau. Ce sera ton « mortier » qui collera ensemble tes « briques » de guimauve.

3. Étale de la pâte à la base d'une guimauve et place-la, le côté collant en bas, par-dessus deux guimauves, comme si tu posais une brique.

4. Répète jusqu'à ce que tu aies construit une autre rangée. Laisse sécher pendant 20 minutes. Puis, pose une autre rangée de briques de guimauve et laisse sécher pendant 20 minutes.

5. Ensuite, empile des guimauves vers le milieu de ton igloo jusqu'à ce qu'elles coiffent le sommet. Coupe quelques guimauves en deux, horizontalement, et utilise la pâte de sucre pour les coller au sommet de ton igloo, pour faire un dôme, comme celui qui apparaît ci-dessus.

6. Pour fabriquer une arche, étale de la pâte sur le bas et le côté d'une « brique » et place-la sur le côté à l'entrée. Assure-toi qu'elle colle à la base et au mur. Répète de l'autre côté. Ajoute deux autres guimauves de chaque côté pour élever l'arche, puis ajoute une dernière guimauve au sommet, comme le montre cette illustration.

7. Plante tes doigts dans l'arche de l'entrée et pousse les guimauves qui remplissent l'intérieur du dôme, afin qu'on n'en voit aucune sortir de l'arche de l'entrée.

8. Finalement, saupoudre du sucre à glacer sur ton igloo pour obtenir un effet de rafales de neige et dispose des ornements des fêtes afin de créer une scène enneigée.

Qu'est-ce qui manque ?

Qui est-ce que maman est en train d'embrasser sous le gui ?

Dessine le défilé de Noël.

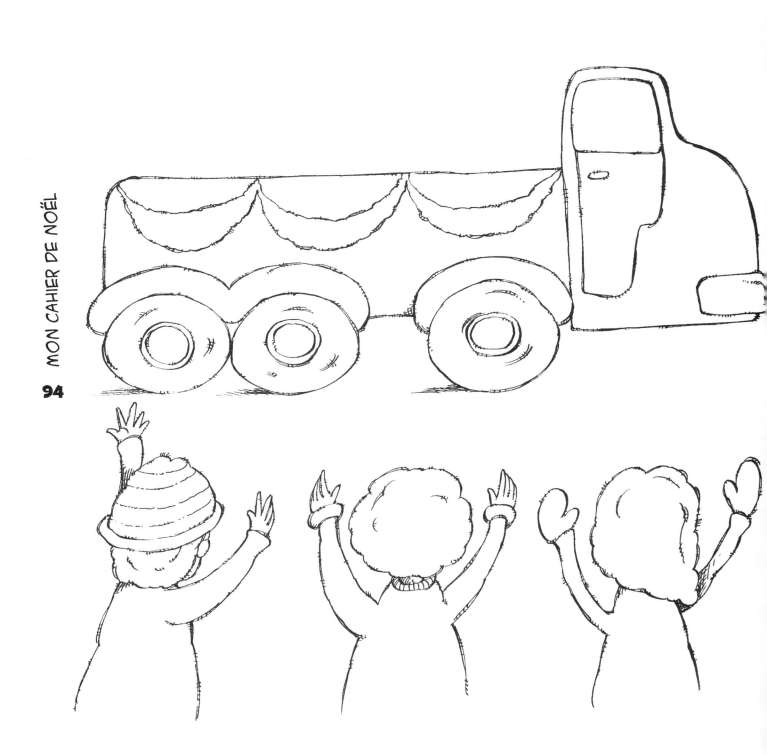

Les parfaits pompons

Égaie n'importe quel arbre de Noël au moyen de magnifiques décorations en pompons. Tu n'as qu'à suivre ces indications.

Il te faudra :

• du carton épais • deux compas • un marqueur • des ciseaux • cinq bouts de laine rouge, blanche ou jaune de 2 mètres • 1 bout de laine noire de 30 cm

Ce que tu as à faire :

1. Utilise les compas pour dessiner deux cercles mesurant 5 cm de diamètre sur le carton. Dessine de plus petits cercles de 2 cm de diamètre au milieu de chacun et découpe-les pour former deux anneaux. Demande à un adulte de t'aider à cette étape.

3. Lorsque tu arriveras à la fin d'un bout de laine, commence à enrouler le bout de laine suivant autour des anneaux à partir de la fin du dernier bout. Assure-toi de rapidement couvrir le bout flottant à mesure que tu l'emballes, afin qu'il ne se défasse pas.

4. Enroule toute ta laine autour des anneaux, en les recouvrant partiellement plusieurs fois, jusqu'à ce que le trou au milieu soit si petit que tu ne pourras plus y pousser la laine.

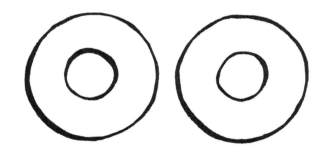

2. Assemble les deux anneaux de carton et enroule l'un des bouts de laine autour, comme sur cette illustration.

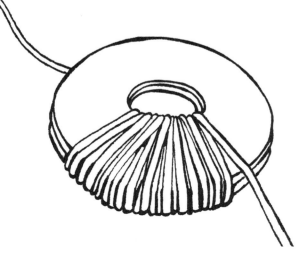

5. Pousse le bout de la lame de tes ciseaux à travers la laine, là où les cercles de carton se rencontrent. Puis, découpe tout autour du bord des anneaux, en prenant soin de couper chaque fil de laine.

Alors, ton pompon ressemblera à ceci:

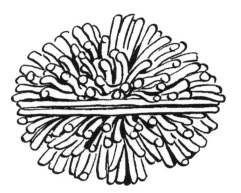

7. Avec soin, enlève les deux morceaux de carton du pompon.

8. Attache en boucle les queues de laine noire qui dépassent du haut du pompon et accroche-les à ton arbre de Noël.

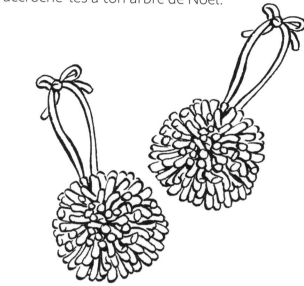

6. Sépare légèrement les deux morceaux de carton et enveloppe le bout de laine noire autour de tous les fils de laine au milieu. Noue-le solidement et découpe-le à 10 cm du nœud de chaque côté, en laissant deux queues.

Couvre ces arbres de jolis pompons.

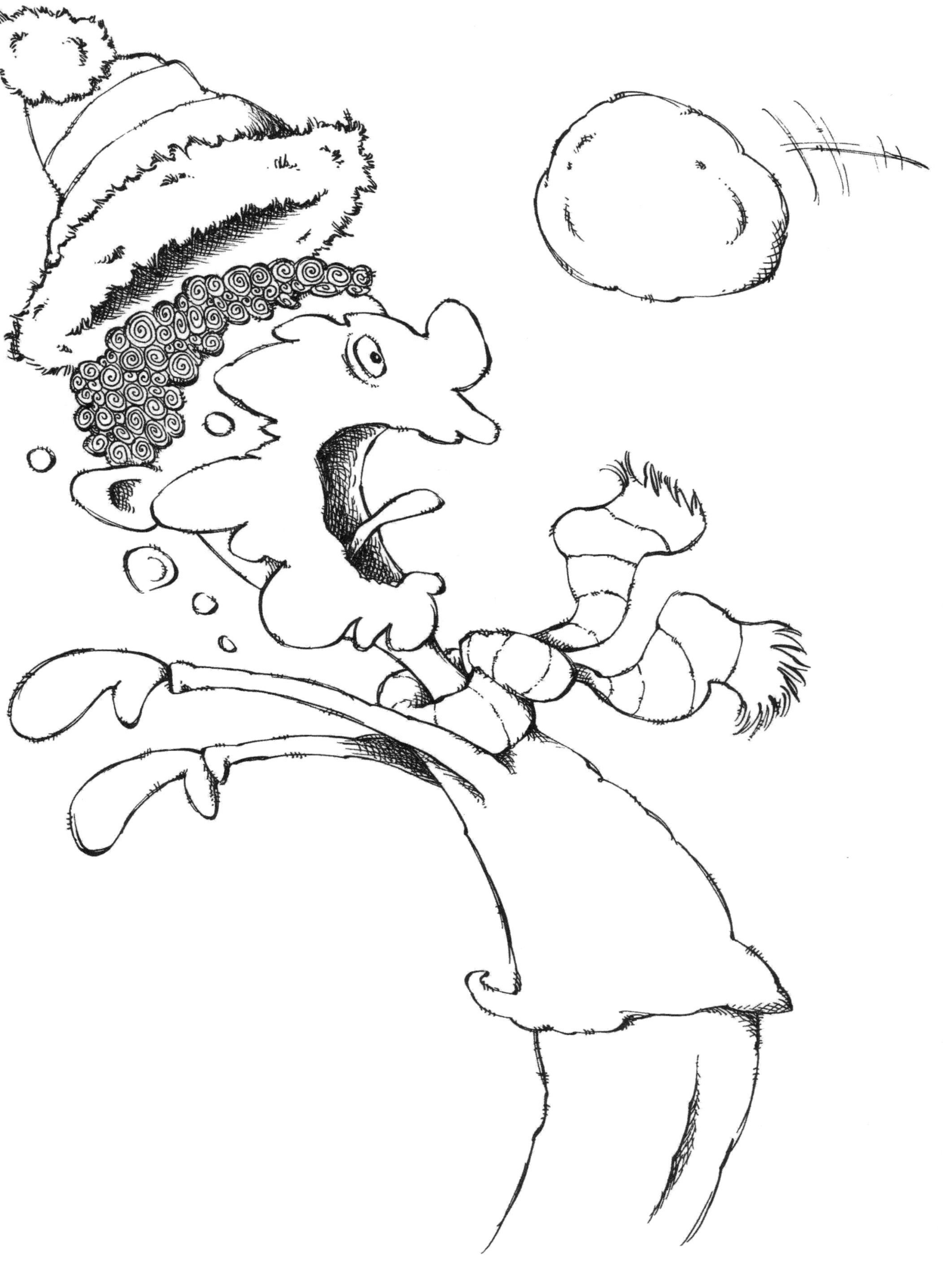

Qui a lancé cette balle de neige ?

Jeux d'animaux

Ces animaux vivent tous dans le cercle arctique ou les environs, mais pas au même endroit. Peux-tu associer les animaux ci-dessous à leurs noms ? Le premier a été associé pour toi. Vérifie ta connaissance des animaux à la page 252.

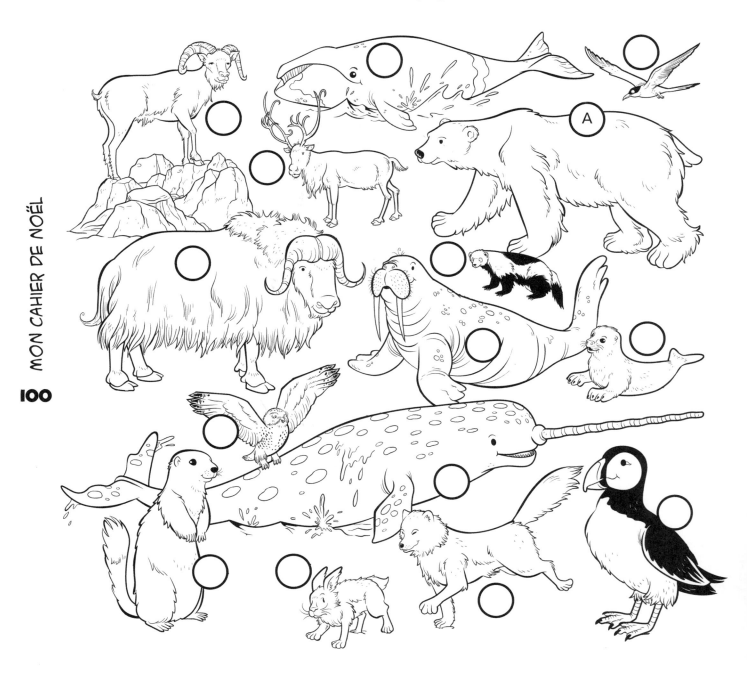

A. Ours polaire. **B.** Carcajou **C.** Phoque du Groenland **D.** Renard polaire **E.** Lièvre polaire
F. Morse **G.** Bœuf musqué **H.** Renne **I.** Narval **J.** Mouflon de Dall **K.** Baleine boréale
L. Sterne arctique **M.** Macareux arctique **N.** Hibou arctique **O.** Spermophile

Ouf ! Quel chandail de Noël !

Quel est ton style de magasinage de Noël?

Suis cet amusant organigramme pour le trouver.

COMMENCE ICI

C'est la veille de Noël. Qu'es-tu en train de faire ?

Tu te précipites follement dans les boutiques pour acheter des cadeaux.

Envelopper des cadeaux tout en regardant un film de Noël.

Quand commenceras-tu à penser aux cadeaux à acheter ?

Tu repères le cadeau parfait pour ton papa. Qu'est-ce que tu fais ?

Pas avant la fin de décembre. Tu détestes quand les boutiques commencent Noël trop tôt.

À tout moment. Tu ne sauras jamais quand l'inspiration frappera pour ce parfait cadeau.

Achète-le immédiatement. Il pourrait disparaître vite !

Tu cherches pendant un moment. Tu ne sais jamais si tu trouveras quelque chose de mieux.

Quel et ton style habituel d'emballage de cadeaux ?

Quel est le meilleur cadeau que tu aies jamais donné à quelqu'un ?

Quel type de boutique préfères-tu ?

Simple. Tu es contente de présenter tes présents dans des sacs cadeaux ou de les emballer dans du papier.

Frappant. Pour toi, l'emballage est aussi important que le cadeau à l'intérieur.

Quelque chose qu'ils cherchaient depuis toujours, tu le sais.

Un cadeau que tu as fabriqué toi-même, en y consacrant beaucoup de temps et d'efforts.

Une boutique d'artisanat, où tu peux acheter les choses dont tu as besoin pour fabriquer tes cadeaux.

Un magasin à rayons, où tu peux obtenir tout ce que tu veux d'un seul coup.

LE STYLE RELAXE

Tu n'aimes pas faire des listes ni planifier, et tu préfères tout repousser à la dernière minute. Il est bien d'être aussi relaxe à propos de Noël, mais plus tu consacres d'efforts à acheter tes cadeaux, plus de plaisir tu auras à les donner.

L'AMI(E) EXTRAORDINAIRE

Tes amis et ta famille s'attendent toujours à recevoir des cadeaux de toi, parce qu'ils savent tout le soin que tu consacres à trouver ce qu'ils aimeraient. Tu te rappelles des conversations sur les choses qu'ils aiment et utilises cela pour trouver des cadeaux personnels et pleins d'attention.

LE STYLE CRÉATIF

Tu as le don de fabriquer des cadeaux magnifiques et les petites touches que tu ajoutes sont toujours parfaites. Tout le monde chérit les cadeaux que tu leur donnes, car on sait que tu y a mis ton amour et ton attention. N'oublie pas de faire quelque chose pour toi-même après Noël.

LE STYLE SAGE

Tu es superorganisé(e) et tu aimes avoir des listes de ce que tu vas donner aux gens. Tu termines toujours ton magasinage avant la deuxième semaine de décembre. Le père Noël aurait avantage à t'avoir dans son équipe !

Qui s'est endormi après le repas du midi ?

Qui a mangé la tarte aux fruits ?

Décore les bas de Noël.

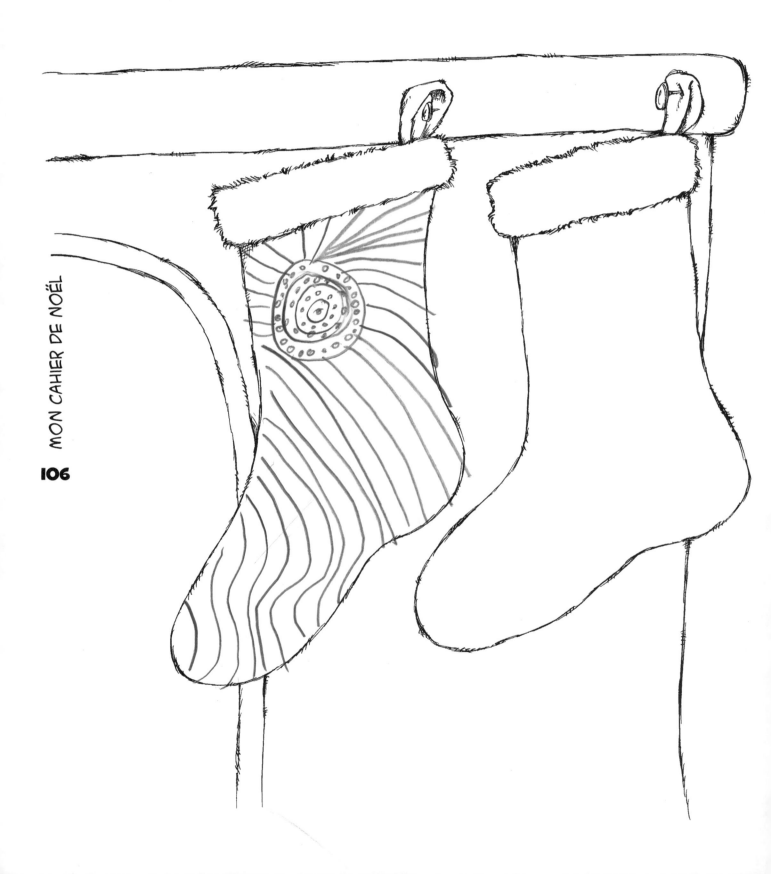

Cocktails de Noël sans alcool

Tu peux impressionner tes amis avec ces boissons de Noël absolument chics. Chaque recette donne quatre cocktails sans alcool.

FLOTTEUR DU RENNE AU NEZ ROUGE

Dis à tes amis que la cerise confite est le nez de Rudolphe
et les gaufrettes, ses bois !

Tu auras besoin de:

• 150 ml (⅔ tasse) de cola • 75 ml (⅓ tasse) de bière de gingembre
• 4 boules de crème glacée aux fraises • 4 cerises confites • 8 gaufrettes • un grand bol.

Mélange le cola et la bière de gingembre dans un bol, puis divise le mélange entre quatre verres. Ajoute une boule ronde de crème glacée à chaque verre et plante une cerise au milieu de la crème glacée et une gaufrette de chaque côté pour figurer les bois. Voilà !

COCKTAIL DE BOULE DE NEIGE !

Les cocktails de boules de neige sont très populaires à l'époque de Noël.
Voici comment faire un cocktail sans alcool à boule de neige avec du punch.

Il te faudra:

• 300 ml (1 ¼ tasse) de limonade • 80 ml (⅓ de tasse) de crème anglaise
déjà préparée - quelques gouttes de citron • une poignée de glace pilée
• un grand flacon ou shaker.

Mélange tous les ingrédients dans le flacon ou le shaker et secoue de haut en bas. Verse dans quatre verres, puis dis à tes amis de le boire avant qu'il fonde.

SURPRISE FONDANTE

Attends-toi à être glacé avec ce chic verre
de surprise fondante.

Il te faudra:

• 4 poignées de cubes de glace pilés
• 80 ml (⅓ tasse) de lait de noix de coco • 180 ml (¾ tasse)
de jus d'ananas • un grand flacon ou shaker.

Mélange tous les ingrédients dans le flacon ou le mélangeur, et secoue. Verse dans quatre verres et sers.

Pistes difficiles

Un vilain lutin a ouvert les portes de l'étable et certains des rennes se sont échappés ! Peux-tu aider le père Noël à les ramener en suivant les pistes dans la neige afin de déterminer quel renne est lequel ? Tu trouveras les réponses à la page 252.

Qu'y a-t-il dans le globe de neige ?

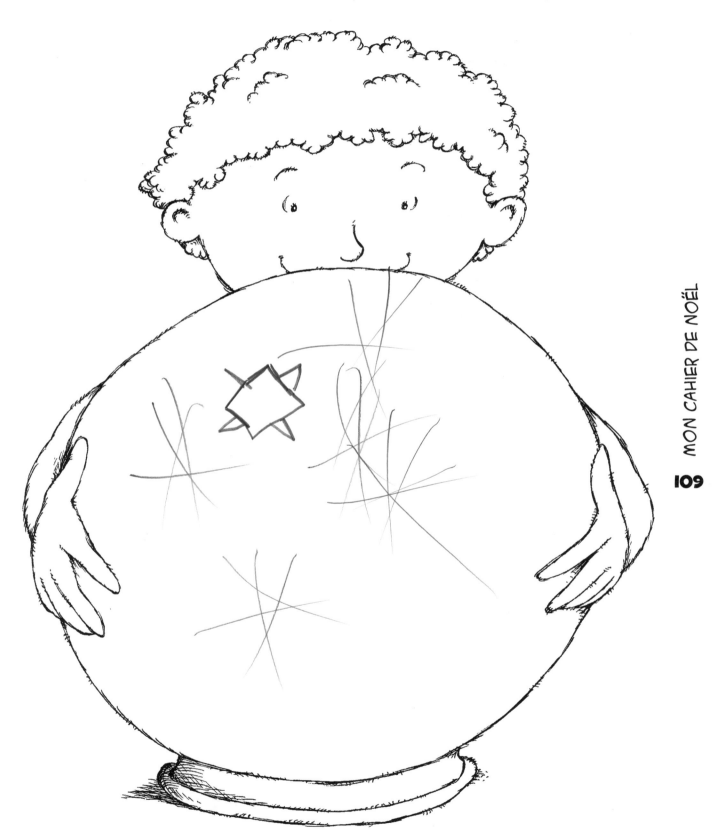

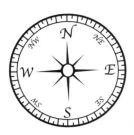

La ruée du père Noël

Vite ! le père Noël a besoin de ton aide pour livrer tous ses présents à temps. Va à la page 252 pour savoir si tu as réussi.

LE CARNET D'ADRESSES DU PÈRE NOËL

Aide le père Noël à associer les capitales aux pays dans son carnet d'adresses. La première capitale a déjà été associée pour toi.

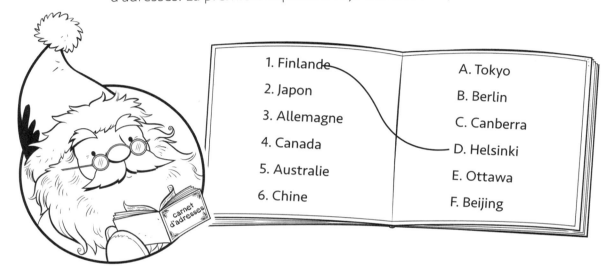

1. Finlande
2. Japon
3. Allemagne
4. Canada
5. Australie
6. Chine

A. Tokyo
B. Berlin
C. Canberra
D. Helsinki
E. Ottawa
F. Beijing

AUTOUR DES TOITS

Utilise la boussole au haut de cette page pour trouver dans quelle direction vole le père Noël. Il vole vers le nord à partir de la cheminée de la maison **A**, jusqu'à ce qu'il atteigne la dernière maison du village. Il vole alors vers l'est au-dessus de quatre maisons, puis le sud au-dessus de deux maisons. Il vole ensuite vers l'ouest au-dessus d'une maison, et atterrit sur le toit situé directement au sud de cette maison. Sur quel toit le père Noël a-t-il abouti, **B** ou **C** ?

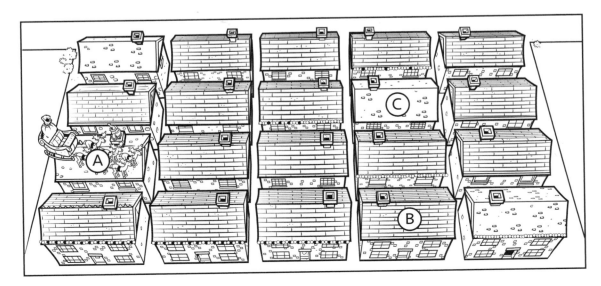

Construis le plus beau bonhomme de neige du monde.

Noël est célébré dans le monde entier.
Complète le bonhomme de neige...

... et décore l'arbre de sable au soleil.

Le meilleur cadeau du monde.

Le pire cadeau du monde.

Les indices de la boussole

Utilise la boussole de la page 110 pour aider le père Noël à trouver son chemin dans ce village, puis réponds aux questions ci-dessous.

1. Où est l'édifice le plus élevé du village — au nord, au sud, à l'est ou à l'ouest ?

2. Qu'est-ce qui se trouve immédiatement à l'ouest du parc du village ?

3. Au-dessus de quoi le renne volera-t-il au nord-ouest du village ?

4. Où est le plus grand groupe de maisons que le père Noël va visiter ?

5. Qu'est-ce qui se trouve immédiatement au sud de la boutique ?

6. Combien de maisons le père Noël visitera-t-il au nord-est du village ?

À présent, vois si tes amis et ta famille peuvent le faire de mémoire.

Laisse-les étudier la carte pendant deux minutes, puis couvre-la et vois à combien de questions ils peuvent répondre correctement.

Aiment-ils leurs cadeaux ?

Le globe de neige magique

Maryse s'assit au bout de son lit et déballa le cadeau que sa tante Berthe lui avait envoyé. Un globe de neige et un bout de papier brun froissé tombèrent sur ses genoux. Sur le papier, il était écrit « Secoue trois fois, puis fais un vœu ». Elle regarda attentivement à l'intérieur du globe et vit un village miniature avec un grand arbre de Noël. Elle secoua le globe de neige et regarda la neige étincelante tomber sur les toits. Elle secoua le globe deux fois plus et dit : « J'aimerais tellement être à un endroit où il y a de la neige. »

Une lumière éclatante remplit la chambre de Maryse et elle se retrouva soudain assise sur un banc couvert de neige. Devant elle, elle vit un immense arbre de Noël et courut dans sa direction. L'arbre était magnifique et la rue était remplie de jolies maisons et de boutiques. Maryse ne voyait personne, mais elle n'était pas inquiète — elle était sûre de voir, bientôt, quelqu'un qui lui dirait comment retourner chez elle.

Maryse commença à construire un immense bonhomme de neige. Lorsqu'elle eut fini, elle était fatiguée et affamée, mais elle n'avait pas encore vu une seule personne. Elle frappa à la porte de chaque maison, mais personne ne répondit. La ville était déserte. Elle retourna en courant vers le bonhomme de neige et se jeta devant lui. « Que faire ? s'écria-t-elle. Je veux retourner chez moi. »

« Il te faut une clé de neige », dit une voix grave. Surprise, Maryse leva les yeux vers le bonhomme de neige. « N'aie pas peur, poursuivit-il. Va là-bas. Tu arriveras à l'orée de mon monde et tu pourras regarder le tien, mais tu dois fabriquer une clé de neige pour sortir. »

Maryse courut vers où avait pointé le bonhomme de neige et, en effet, elle rencontra un grand mur de verre. En regardant à travers, elle vit une version géante de sa chambre à coucher. Elle eut le souffle coupé en s'apercevant qu'elle était à l'*intérieur* du globe de neige !

Soudain, elle vit un trou de serrure. Elle se rappela ce que le bonhomme de neige lui avait dit, et ramassa de la neige, la modela en forme de clé, puis mit celle-ci dans le trou de serrure. Avec un éclair lumineux, Maryse revint en trébuchant dans sa chambre à coucher.

Lorsqu'elle regarda dans le globe de neige, elle vit un bonhomme de neige et des empreintes fraîches dans la neige, et elle était sûre qu'elles n'étaient pas là quand elle avait déballé son cadeau.

Fabrique un globe de neige

Fais un globe de neige et tu seras sûr d'avoir un Noël blanc — même s'il n'y a aucune chute de neige ! Tu pourrais même avoir une aventure comme celle de Maryse...

Il te faudra :

• un pot à confitures avec un couvercle étanche • de la gomme adhésive
• un jouet de Noël en plastique ou une décoration de gâteau qui peut entrer dans le pot à confitures • de la glycérine (un liquide sirupeux que l'on trouve dans des pharmacies et dans l'allée des ingrédients de cuisson des épiceries) • de l'eau
• des paillettes argentées • du ruban

Ce que tu as à faire :

1. Colle une boule de gomme adhésive sous le couvercle du pot à confitures. Laisse un espace autour des côtés du couvercle, pour plus tard le revisser sur le pot.

2. Colle le jouet en plastique au milieu de la gomme. Assure-toi qu'il est solidement maintenu en place afin qu'il ne bouge pas lorsqu'il sera secoué ou tenu à l'envers.

3. Mélange en parties égales de la glycérine et de l'eau dans une cruche. Le mélange sera plus épais que de l'eau et lorsque tu ajouteras des paillettes, celles-ci bougeront plus lentement à l'intérieur du liquide.

4. Verse le mélange dans le pot à confitures et ajoute les paillettes. Revisse fermement le couvercle, en prenant soin de ne pas déloger le jouet de la gomme adhésive.

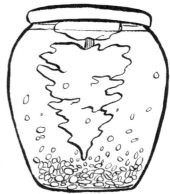

5. Attache le ruban autour du sommet du pot, de façon à cacher le couvercle.

6. Tourne le pot à l'envers et regarde les paillettes de neige tomber lentement sur l'objet festif fixé à l'intérieur.

Qu'est-ce qu'on a laissé à manger
au père Noël ?

Peux-tu compléter le père Noël ?

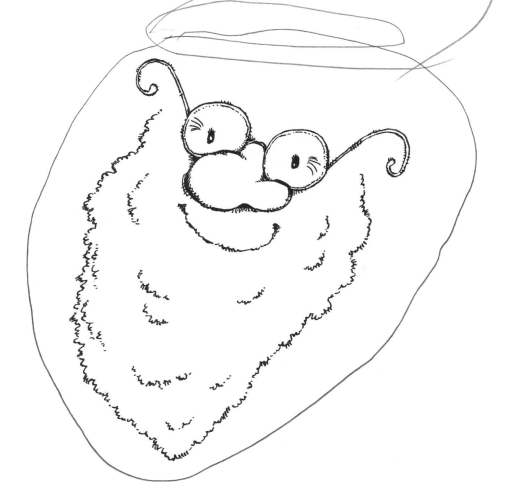

Jeux des fêtes

Entre dans l'esprit de Noël avec ces jeux et renseignements magiques. Tu peux vérifier tes réponses à la page 252.

LE CHAPEAU INTRUS

Chacun de ces chapeaux de Noël est identique à un autre... sauf un. Peux-tu le repérer ?

A

B

C

D

E

F

G

H

I

RAISONNEMENT DE BÛCHE

Ajoute un cocktail sans alcool aux carrés de la grille, afin que chaque bûche de chocolat ait au moins un cocktail à côté d'elle, horizontalement ou verticalement, mais pas en diagonale.

À côté de chaque rangée et sous chaque colonne se trouve un nombre qui te dit combien de cocktails elle doit contenir. Aucun cocktail ne peut se trouver à côté d'un autre, pas même en diagonale.

Lorsque chaque gâteau aura un cocktail et que tous les nombres seront justes, tu auras fini !

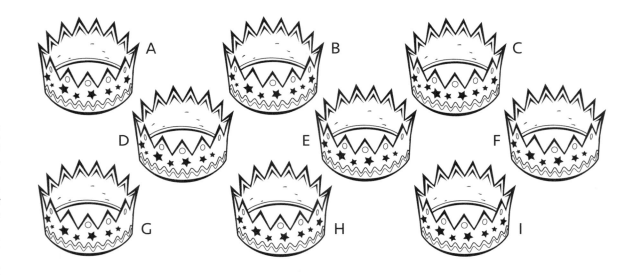

Décore les babioles.

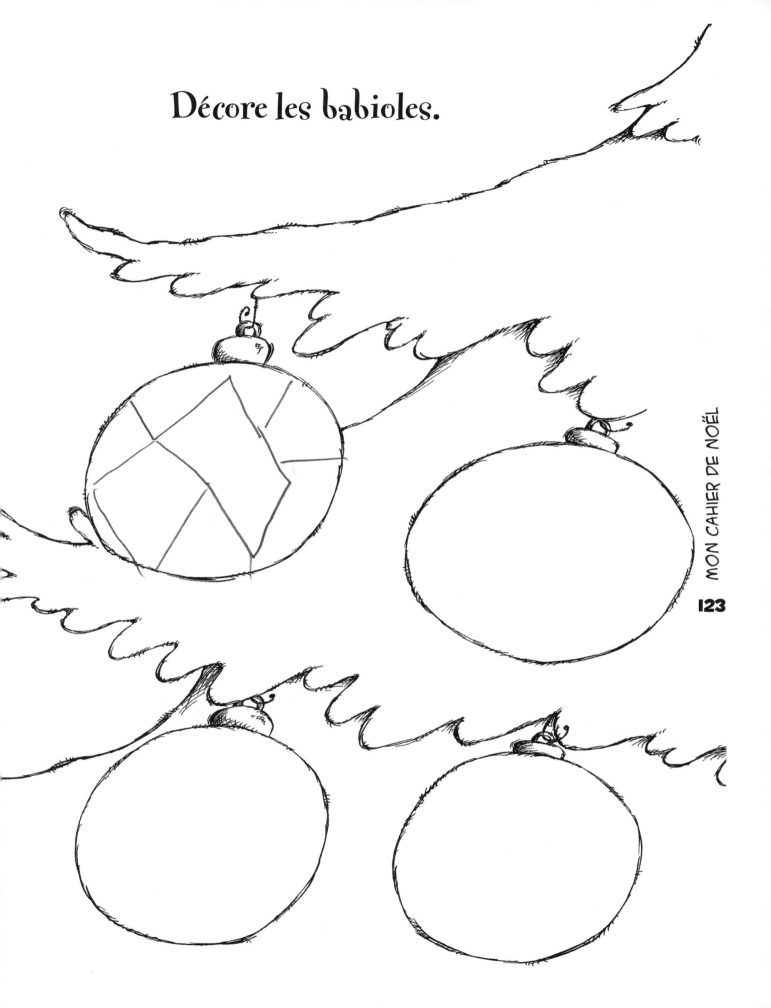

123

Souhaits de Noël

Noël est célébré par des millions de gens dans le monde entier. Deviens une reine ou un roi de Noël international, et apprends à dire « Joyeux Noël » dans plusieurs langues.

Un guide en *italiques* te montre comment prononcer les mots.

ANGLAIS
Merry Christmas
Mer-ré Criss-muss

ESPAGNOL
Feliz Navidad
Fé-liss Na-vi-dahd

HAWAIIEN
Mele Kalikimaka
Mé-lé Ka-li-ki-ma-kah

ALLEMAND
Fröhliche Weihnachten
Froh-li-keu Vaille-nac-ten

FINNOIS
Hyvää Joulua
Hi-vah Yo-lou-ah

ITALIEN
Buon Natale
Bwonn Na-tal-é

Dis « Joyeux Noël »

Souhaite un Joyeux Noël à tous, d'où qu'ils viennent !
Un guide de prononciation des mots est écrit en *italiques*.

Grec
Kala Christouyenna
Ka-laha Kris-tov-yenna

Afrikaans
Geseënde Kersfees
Tch-sé-en-dé Kir-faice

Tchèque
Veselé Vánoce
Vé-sé-lé Vah-no-tzé

Norvégien
God Jul
God Youl

Gallois
Nadolig Llawen
Na-doh-lig Sl-ow-en

Qui a glissé sur la glace?

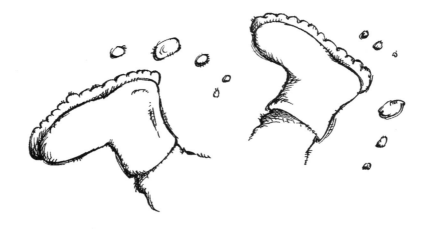

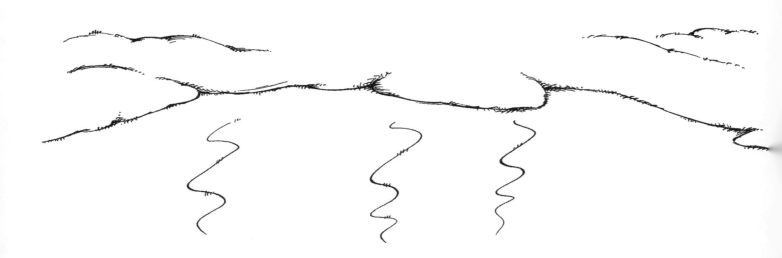

Qu'y a-t-il dans le sac ?

Quels cadeaux de Noël iront à la vente de charité ?

Qui sait ?

 Le gui est une plante aux feuilles vertes et aux baies blanches et toxiques, que l'on accroche traditionnellement en période de Noël.

 Le mot « gui » signifierait « caca sur la branche », parce que c'est une plante qui pousse à partir de semences trouvées dans les excréments d'oiseaux.

 Des prêtres anciens appelés druides croyaient que le gui apportait la chance et la santé.

 Dans certains pays, on croit que le fait de s'embrasser sous une brindille de gui apportera le bonheur au couple.

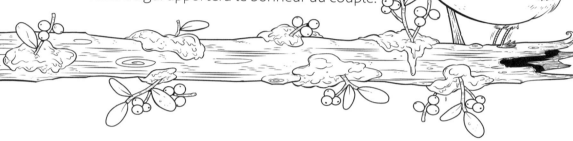

LE GUI MYSTÈRE

Il y a neuf brindilles de gui cachées dans cette scène de fête. Peux-tu les repérer toutes ?

Qui glisse en traîneau ?

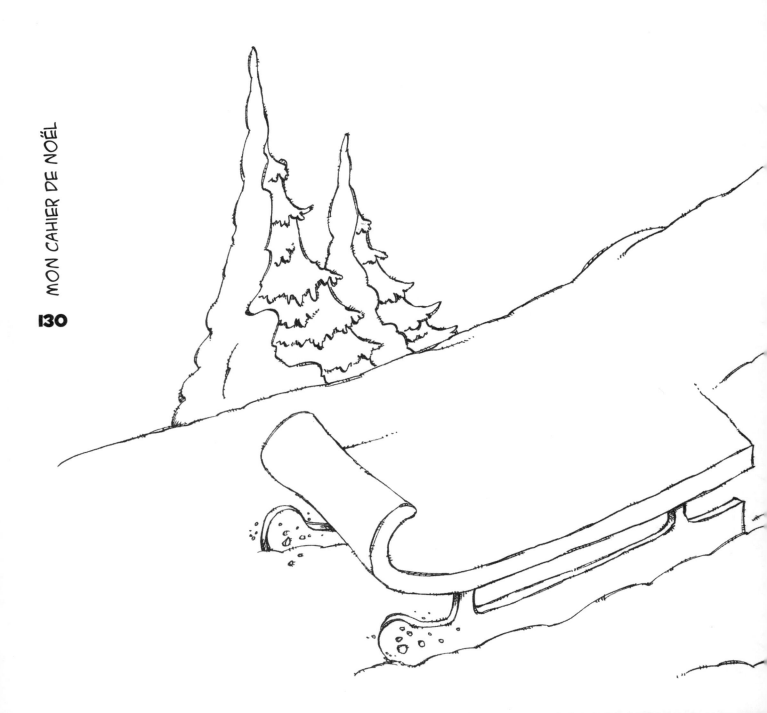

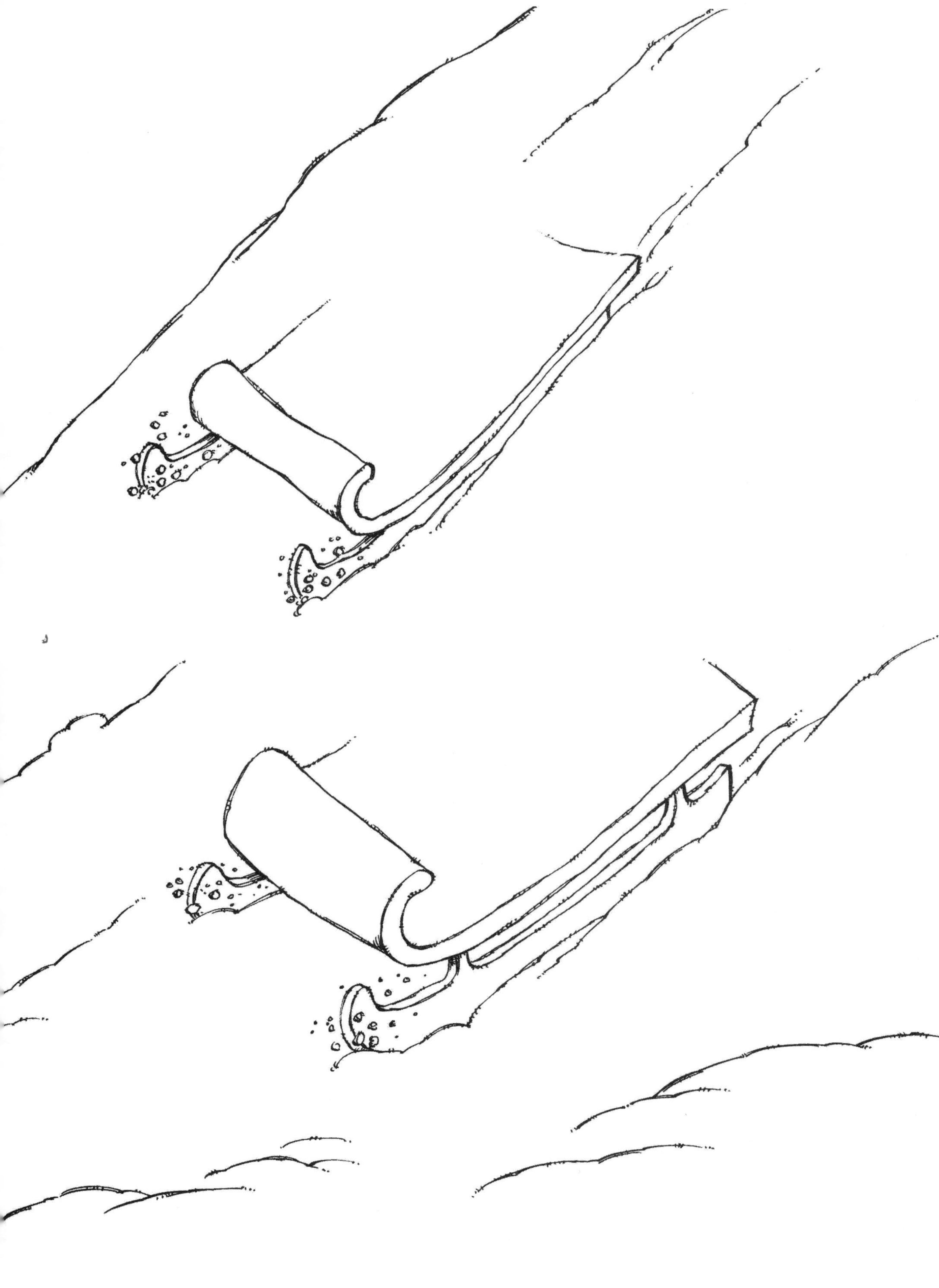

Dessine tes propres timbres des fêtes.

Le paradis du chocolat chaud

Lorsque le temps est sombre et que l'air est frais, rien n'est plus réjouissant qu'une tasse de chocolat chaud de Noël.

Il te faudra:

• 400 g (1 ¾ tasse) de sucre à glacer • 350 g (2 ¾ tasses) de poudre de cacao • suffisamment de lait pour remplir une tasse • 10 guimauves miniatures

Ce que tu as à faire:

1. Au moyen d'un fouet, mélange le sucre et la poudre de cacao dans un grand bol à mélanger.

7. Place le reste du mélange dans un contenant d'entreposage, afin de pouvoir préparer une délicieuse tasse de chocolat chaud pendant tout le congé des fêtes.

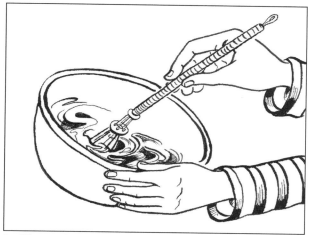

2. Place deux cuillerées à soupe du mélange dans une tasse.

3. Verse le lait dans une casserole, et fais-la chauffer jusqu'à ce qu'elle commence à bouillir. Demande à un adulte de t'aider avec cette étape.

4. Éteins, puis verse soigneusement le lait chaud dans ta tasse. Demande à un adulte de t'aider.

5. Brasse bien le chocolat chaud jusqu'à ce que le mélange se soit dissous.

6. Verse des guimauves sur le dessus.

Conseil de Noël:

Au lieu d'une cuiller, pourquoi ne pas utiliser une canne de Noël pour remuer ton chocolat chaud? Cela ajoutera sûrement un soupçon de menthol à ta boisson.

Quel film as-tu regardé ?

Démêle les guirlandes électriques

Démêle ces guirlandes afin de trouver la prise qui correspond
à l'ampoule brûlée. Vérifie ta réponse à la page 253.

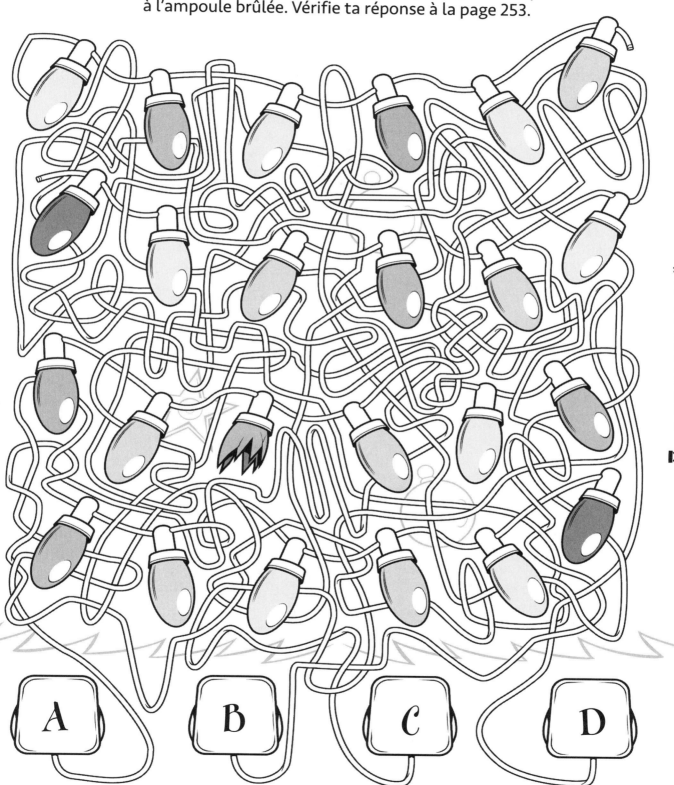

Jeux de Noël classiques

Tu as ouvert les présents et tu es remplie de ce délicieux repas de Noël.
Il est temps de t'assurer que le plaisir continue avec ces jeux festifs en famille.

FRONTS CÉLÈBRES

1. Demande à chaque joueur d'écrire le nom d'une personne célèbre sur un papillon adhésif et de coller celui-ci sur le front d'un autre joueur, de façon à ce que tous les autres voient le nom, à part celui qui le porte collé au front. Le joueur « devient » alors cette personne, même s'il ne sait pas encore qui c'est.

2. Demande au joueur le plus jeune de commencer. Il doit poser au reste du groupe une question à propos de qui il est. On ne peut répondre à cette question que par oui ou non. On pourrait demander quelque chose comme « Suis-je une fille ? » ou « Suis-je une vedette populaire ? » Si la réponse est oui, alors le joueur peut poser une autre question. Si elle est non, le jeu passe à la personne suivante dans le sens des aiguilles d'une montre.

3. La première personne à deviner correctement qui elle est remporte la partie. La partie continue jusqu'à ce que tout le monde ait deviné qui il est.

LE CERCLE D'IMAGES

Voici un jeu que tu peux préparer pour tes amis et ta famille. Voici comment:

1. Feuillette des magazines et découpe des photos de gens, de lieux ou d'objets célèbres.

2. Colle toutes ces images sur une feuille de papier et numérote-les.

3. Fournis à chaque joueur une feuille de papier et un crayon, et dis-leur de reconnaître autant d'images que possible.

4. Rassemble toutes les feuilles de réponses, puis compte le nombre de fois où chaque joueur a deviné juste, et annonce le gagnant.

À vos marques, prêts, dessinez !

Pour ce jeu, il te faudra: deux équipes d'au moins deux personnes, un grand bol, une minuterie, du papier et un stylo.

1. Demande à chaque joueur d'écrire les noms de six objets sur de petits bouts de papier. Puis, demande-leur de plier ces bouts de papier et de les placer dans le bol.

2. Choisis l'équipe qui va commencer et règle la minuterie à une minute.

3. Le premier joueur de l'équipe pige un bout de papier dans le bol. Le joueur doit alors dessiner l'objet pendant que son équipe devine ce qu'il est en train de dessiner. Dès que l'un de ses coéquipiers devine juste, le joueur met le bout de papier sur le plancher

et pige un nouveau nom dans le bol. Le joueur doit essayer de dessiner autant d'objets que possible en une minute.

4. Lorsque le temps sera écoulé, le premier joueur de l'autre équipe a une minute pour dessiner autant d'objets que possible, tandis que ses coéquipiers essaient de deviner. Le deuxième joueur de la première équipe a alors son tour, et ainsi de suite, jusqu'à ce que tous les bouts de papier aient été pigés.

5. Compte le nombre d'objets que chaque équipe a correctement devinés. L'équipe gagnante peut alors décider du prix à payer pour l'équipe perdante – par exemple, tout le nettoyage de Noël !

Donne des bois à ce renne.

Des cartes animées

Montre tes talents de créateur de cartes avec ces chics cartes animées.

Il te faudra:

- 3 feuilles de carton (8½ par 11)
- des ciseaux • un crayon
- un bâton de colle • une règle.

1. Plie deux cartons en moitié dans le sens de la largeur.

2. Sur l'un des cartons pliés, fais quatre entailles droites — d'environ 6 cm de longueur, en coupant à partir du bord plié de la carte vers l'intérieur, comme le montre l'illustration ci-dessous. Voilà les deux rabats qui « animeront » ta carte.

LE SAVAIS-TU ?

Les premières cartes de Noël jamais vendues sont apparues en 1843 en Angleterre. On en fit seulement 1000, et elles se vendaient six pence.

rabat 1

rabat 2

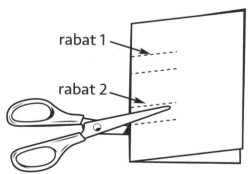

3. Déplie le carton découpé, puis pousse chacun des rabats vers l'extérieur, afin qu'ils forment un angle droit, comme le montre cette illustration.

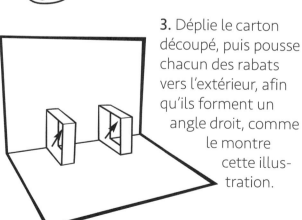

4. Dessine deux formes d'arbres de Noël sur l'un des autres cartons. Ils devraient avoir 8 cm de haut et 6 cm de large. Découpe les arbres.

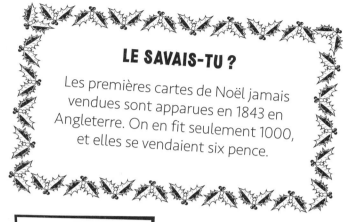

5. Colle la base des arbres aux troncs, comme le montre l'illustration.

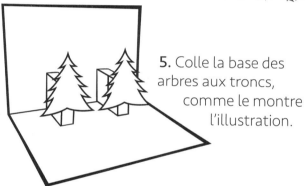

6. Laisse sécher complètement, puis referme la carte.

7. Colle l'autre morceau de carton replié sur la carte intérieure, comme le montre l'illustration ci-dessous. Ne laisse pas couler de colle sur les zones découpées.

8. Lorsque ta carte sera complètement sèche, écris tes vœux de Noël à l'intérieur et donne-la à une personne qui t'est chère.

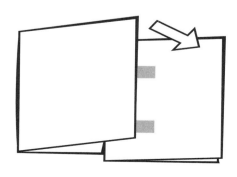

MON CAHIER DE NOËL

139

Décore les fenêtres.

Noël blanc

C'est un Noël blanc et tout est couvert de neige ! Complète ces jeux hivernaux, puis va trouver les réponses à la page 253.

Qui a lancé ça ? Suis les trajectoires et découvre laquelle de ces filles rouges de honte a lancé la boule de neige qui a atteint tante Sarah.

Noircis toutes les formes qui contiennent un point et tu trouveras une surprise de Noël.

Saute du lit, c'est le matin de Noël !

Mon bonhomme

Lydia a construit un bonhomme de neige. Il a des morceaux de charbon en guise de boutons, mais il lui manque une carotte pour le nez. Il a une écharpe, mais pas de chapeau.

Peux-tu repérer lequel de ces bonshommes de neige est celui de Lydia ?

Décore la robe de la Fée des neiges avec des paillettes de neige.

Décore l'arbre.

Tours de cartes de Noël

Perfectionne ces étonnants tours de cartes, puis divertis les amis et la famille avec un peu de magie après le dîner de Noël.

NOUS ÉTIONS QUATRE ROIS

Avant d'accomplir ce tour, tu devras le préparer. Voici comment:

• Retire tous les as et les rois d'un paquet de cartes ordinaire.

• Place les quatre as et les quatre rois sur le dessus du reste du paquet.

Les cartes fin prêtes

1. Tends le paquet à un volontaire de l'auditoire et demande-lui de commencer à distribuer les cartes, face tournée vers le bas, en deux piles.

2. Lorsqu'il sera à environ la moitié du paquet, dis-lui d'arrêter.

3. Mets la moitié non distribuée du paquet d'un côté.

4. Demande-lui de séparer chacune des deux plus petites piles en deux piles encore plus petites, de la même façon. Il devrait maintenant y avoir quatre piles de cartes sur la table.

5. Annonce à ton auditoire que tu peux savoir, tout simplement en regardant les piles, que la carte du dessus de chaque pile est un roi.

6. Puis, demande à ton volontaire de retourner la carte du dessus de chaque pile, afin que tout le monde puisse la voir. Tu devrais avoir trouvé les quatre rois !

7. Dis au volontaire que tu es un « as véritable » des tours de magie...

Retourne ce qui est maintenant la carte du dessus de chacune des quatre piles pour révéler tous les as !

8. Salue.

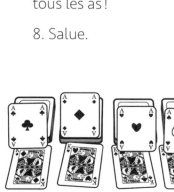

L'ÈRE DE LA TÉLÉPORTATION

Ce tour est une affaire de confiance —
si tu peux convaincre ton auditoire d'une chose
qui n'est pas vraie, l'affaire est dans le sac !

Avant d'accomplir ce tour, tu devras trouver
l'as de carreau dans le paquet de cartes, et le
cacher sous l'arbre de Noël.

Que le spectacle commence !

1. Tiens le paquet de cartes d'une main et dis
à l'auditoire que tu vas accomplir un tour en
utilisant les trois premiers as que tu trouveras dans le paquet.

2. Assure-toi que l'auditoire ne puisse voir
les cartes dans ta main, passe les cartes en
revue et dis lesquelles tu trouves. Cependant, lorsque tu arriveras à l'as de cœur,
dis plutôt « as de carreau ».

3. Lorsque tu
auras extrait
les trois as du
paquet, cache
l'as de cœur au
milieu des trois
cartes.

Forme un éventail afin que
l'auditoire ne puisse voir quel as se
trouve au milieu, comme l'illustre cette
image. Ils vont penser que l'as de cœur est
l'as de carreau.

4. Remets les cartes n'importe où dans le
paquet et brasse-les bien.

5. Tends le paquet de cartes à un volontaire
du public. Dis au public que tu es sur le point
de téléporter par magie l'un des as sous
l'arbre de Noël.

6. Fais semblant d'utiliser tes dons de télé-
portation. Mets la tête dans tes mains et
fronce les sourcils.

7. Maintenant, demande au volontaire de
repasser le paquet et de choisir les as. Il
découvrira que l'as de carreau est manquant !

8. Dis au volontaire de jeter un coup d'œil
sous l'arbre et savoure la gloire du magicien.

Quelles friandises se trouvent dans l'armoire ?

Vrai ou faux ?

Il y a des traditions de Noël étranges et merveilleuses dans le monde ! Colore ces renseignements en vert si tu crois qu'ils sont vrais, et en rouge si tu crois qu'ils sont faux, puis trouve les réponses à la page 253.

Les Ukrainiens croient que le fait de trouver une toile d'araignée à Noël est signe de chance.

Les enfants espagnols jouent sur des balançoires à Noël, pour dire au soleil de « se balancer » haut dans le ciel au cours de l'année qui vient.

Une sorcière sympathique apporte des cadeaux aux enfants italiens, tout comme le père Noël.

Durant la période de Noël, les garçons suédois se déguisent en branches de houx à l'aide de vêtements verts brillants et de chapeaux rouges.

Au Brésil, le père Noël porte des shorts rouges et blancs afin de supporter la chaleur de l'été.

En Australie, le père Noël arrive à dos de kangourou.

Déguisements !

Décorations savoureuses

Confectionne ces délicieuses décorations festives et vois combien se rendent jusqu'à l'arbre plutôt que dans ton ventre.

BONSHOMMES DE PAIN D'ÉPICE

Il te faudra:

- papier calque
- pellicule d'emballage
- ruban
- 50 g (3 ½ c. à soupe) de sucre à glacer
- 75 g (5 c. à soupe) de beurre ramolli
- 2 jaunes d'œuf
- 50 g (3 ½ c. à soupe) de sirop d'érable
- 1 c. à café de levure chimique
- 250 g (1 tasse) de farine ordinaire, tamisée
- 2 c. à table de gingembre moulu
- 1 c. à café de cannelle moulue
- 1 tube de glaçage déjà préparé

1. Place le papier calque sur le bonhomme de pain d'épice à gauche et trace son contour. Découpe-le et mets-le de côté.

2. Bats le beurre et le sucre ensemble dans un bol.

3. Ajoute l'œuf, la levure chimique et le sirop, et mélange bien.

4. Incorpore la farine, le gingembre et la cannelle et mélange bien jusqu'à former une pâte.

5. Place la pâte dans la pellicule plastique et laisse-la refroidir au frigo pendant une demi-heure.

6. Demande à un adulte de préchauffer le fou à 180 °C ou 350 °F (four au gaz, niveau 4).

7. Saupoudre de la farine sur une surface propre, puis roule la pâte jusqu'à ce qu'elle ait environ ½ cm d'épaisseur.

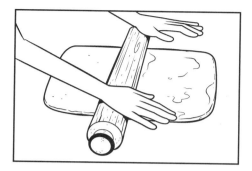

8. Place le contour calqué du bonhomme de pain d'épice sur le dessus de la pâte et découpe-le soigneusement au couteau.

9. Répète jusqu'à ce que tu obtiennes beaucoup de bonshommes de pain d'épice et qu'il ne reste plus de pâte.

10. Place les formes de bonshommes de pain d'épice sur une tôle et mets-la au four pendant 10 minutes, ou jusqu'à ce qu'ils soient d'un brun doré.

Avertissement: Demande à un adulte de t'aider à te servir du four.

11. Lorsque les bonshommes de pain d'épice auront fini de refroidir, donne à chacun des yeux, une bouche, un nœud papillon et trois boutons, en utilisant le tube de glaçage déjà préparé.

12. Attache un ruban à leur cou et accroche-les à l'arbre.

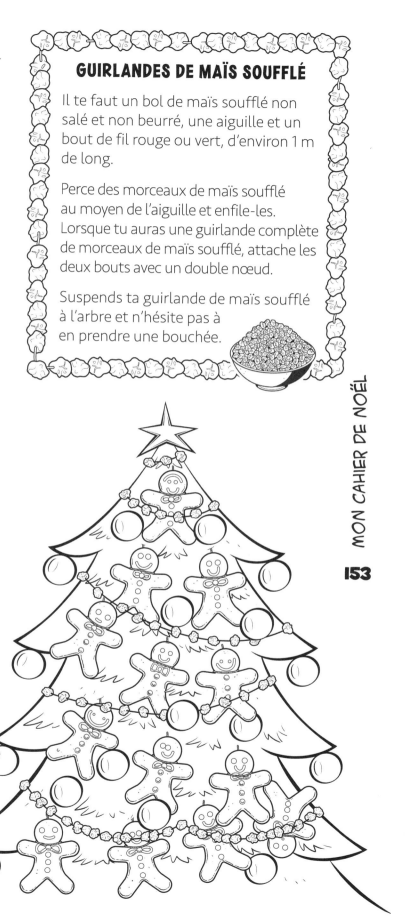

GUIRLANDES DE MAÏS SOUFFLÉ

Il te faut un bol de maïs soufflé non salé et non beurré, une aiguille et un bout de fil rouge ou vert, d'environ 1 m de long.

Perce des morceaux de maïs soufflé au moyen de l'aiguille et enfile-les. Lorsque tu auras une guirlande complète de morceaux de maïs soufflé, attache les deux bouts avec un double nœud.

Suspends ta guirlande de maïs soufflé à l'arbre et n'hésite pas à en prendre une bouchée.

Décore le gâteau de Noël.

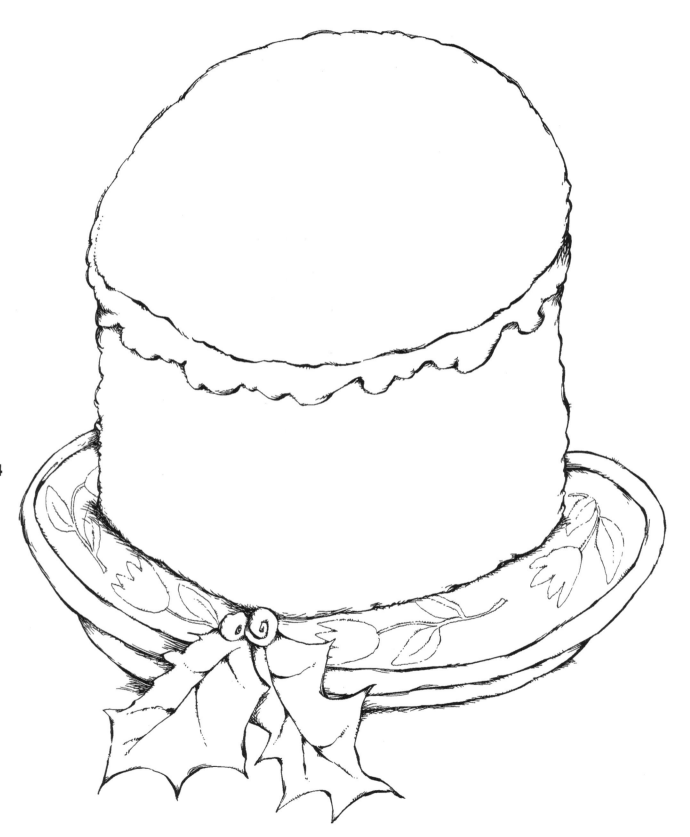

Conforme à son image

Utilise les lignes de la grille pour dessiner ta propre version
de ce joli chiot de Noël dans le carré ci-dessous.

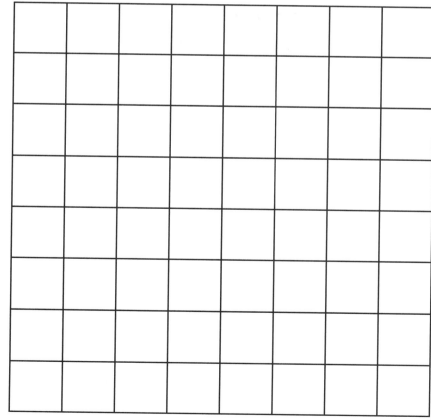

Dessine ta propre carte de Noël.

Noël se célèbre partout dans le monde.
Donne des traîneaux à ces enfants...

... et donne aux surfeurs des combinaisons de plongée
et des bonnets de père Noël.

Biscuits au
pain d'épice glacés

Ces délicieux biscuits de pain d'épice en forme de maisons ont un véritable croquant de Noël. Tu peux t'amuser follement à les décorer avec tes amis.

Pour 10 petites maisons, il te faudra:

• ½ œuf battu • 60 ml (4 c. à soupe) de beurre non salé
• 125 ml (½ tasse) de sucre à glacer
• 300 ml (1 ¼ tasse) de farine ordinaire • ½ c. à café d'épices
mélangées • ½ c. à café de cannelle moulue
• ½ c. à café de gingembre moulu.

Pour le glaçage: • 75 g (⅔ tasse) de sucre à glacer
• 2 ou 3 c. à soupe d'eau chaude • des friandises de ton choix

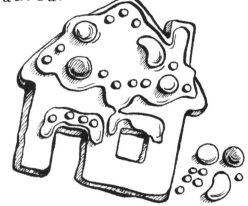

Ce que tu as à faire:

1. Mélange l'œuf, le beurre et le sucre à glacer avec une cuiller en bois jusqu'à ce que le tout soit lisse.

2. Tamise la farine et les épices dans la mixture, et mélange bien avec les mains. Tu devrais maintenant avoir une pâte molle. Ajoute un peu d'eau si elle est trop sèche, ou de farine si elle est trop humide.

3. Couvre la pâte de pellicule plastique et laisse-la au frigo pendant 30 minutes.

4. Chauffe le four à 180 °C ou 350 °F (au gaz, niveau 4), et couvre une tôle avec du papier sulfurisé.

5. Saupoudre de la farine sur un comptoir de cuisine propre et utilise un rouleau pour rouler la pâte jusqu'à ce qu'elle soit d'une épaisseur de ½ cm.

6. En utilisant une forme à biscuits ou un couteau bien aiguisé, découpe de simples formes de maison dans la pâte et place-les sur la tôle.

7. Fais cuire les biscuits au four pendant 25 à 30 minutes, jusqu'à ce qu'ils soient d'un brun doré.

8. Lorsque les biscuits ont refroidi, mélange le sucre à glacer et l'eau chaude pour former une pâte sucrée.

9. Étale une mince couche de cette pâte sur le toit de chaque maison, et au-dessus des fenêtres et des portes, pour obtenir un effet de neige.

10. Ajoute des bonbons à cette pâte pendant qu'elle est encore humide — ce seront les lumières de Noël scintillantes de tes maisons.

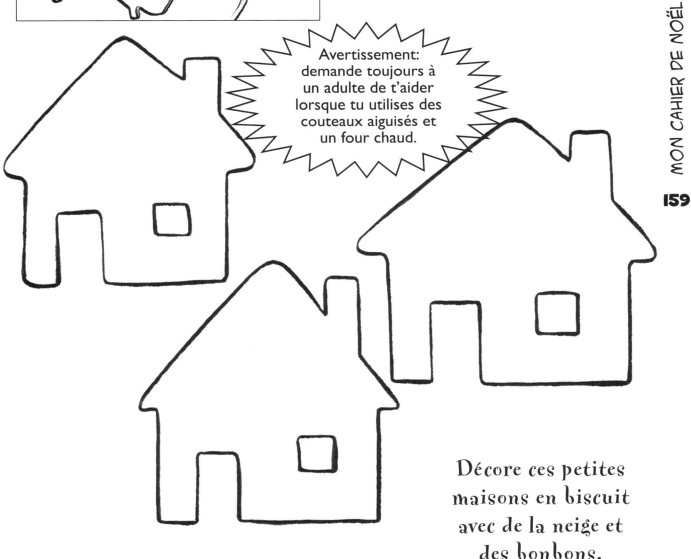

Avertissement: demande toujours à un adulte de t'aider lorsque tu utilises des couteaux aiguisés et un four chaud.

Décore ces petites maisons en biscuit avec de la neige et des bonbons.

Remplis l'assiette de petits gâteaux.

Des arbres compliqués

Il y a 15 différences entre ces deux images. Peux-tu les repérer toutes ?
La solution se trouve à la page 254.

Empile les boules de neige.

Biscuits mélangés

Emma a préparé des biscuits de Noël et écrit des lettres dessus, mais les lettres sont toutes mélangées ! Peux-tu les arranger de façon à ce qu'elles épèlent les mots correctement ? Va à la page 254 pour trouver les réponses.

1. Xpia

2. Eoji

3. Tfeê

4. Xyjoue

5. Ftisef

6. Erriuos

7. Tisohau

8. Xuereuh

Défi aux dés

Mets la famille au défi des dés avec ces supers jeux.

LE DÉ-CIDEUR

Il te faudra:

• une paire de dés
• 3 joueurs ou plus

Chaque joueur doit jeter les dés à tour de rôle, puis suivre les instructions qui se trouvent à côté du nombre obtenu.

2: Fais faire un tour sur ton dos à quelqu'un de la maison.

3: Porte une décoration de Noël pendant toute la journée.

4: Mange trois biscuits de Noël sans rien boire.

5: Tiens-toi sur la tête et compte jusqu'à 20.

6: Prépare une boisson pour tout le monde.

7: Échange un vêtement avec la personne d'à côté.

8: Fais dix redressements, puis cinq pompes.

9: Chante un chant de Noël.

10: Fais la roue, puis une roulade.

11: Récite les noms des rennes du père Noël.

12: Fais une danse folle pendant une minute.

ROULETTE DU BONHOMME DE NEIGE

Il te faudra:

• 1 dé • 3 joueurs ou plus • un stylo et du papier pour chaque joueur

1. À tour de rôle, jetez les dés. Chaque joueur a le droit de les jeter une fois par ronde.

2. Les joueurs doivent jeter un « 1 » pour commencer. Cela leur permet de dessiner le corps du bonhomme de neige, comme celui qui est montré dans l'illustration.

3. Les joueurs doivent ensuite attendre que leur tour revienne pour essayer de jeter un « 2 » pour dessiner la tête, et ainsi de suite.

Chaque partie du corps du bonhomme de neige doit être dessinée à la suite: 1, 2, 3, etc.

4. Le premier joueur à compléter son dessin du bonhomme de neige dans le bon ordre gagne.

POINTAGE	
Corps = 1	Tête = 2
Chapeau = 3	Nez = 4
Yeux et bouche = 5	Bras = 6

PRENEZ-MOI AU MOT !

Ce jeu repose entièrement sur le bluff ! Il s'agit de vaincre le joueur précédent avec un pointage supérieur... ou un bluff.

Il te faudra:

- 3 dés et une tasse en plastique opaque
- 3 joueurs ou plus

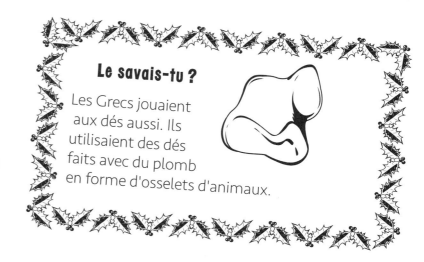

Le savais-tu ?

Les Grecs jouaient aux dés aussi. Ils utilisaient des dés faits avec du plomb en forme d'osselets d'animaux.

1. Pour commencer, le joueur 1 secoue les dés dans la tasse tout en couvrant celle-ci avec la main.

2. Le joueur 1 retourne la tasse sur la table et jette un coup d'œil aux dés sans laisser voir personne d'autre.

3. Le joueur 1 doit alors décider soit de dire la vérité sur le nombre qu'il a obtenu soit de bluffer...

Par exemple, si le joueur 1 a obtenu un pointage bas, comme 3, il peut choisir de bluffer en disant qu'il a obtenu quelque chose de plus élevé, comme 9.

Si le joueur 1 a obtenu un pointage bas, il peut dire la vérité, car il n'y a pas de pointage précédent à dépasser.

4. Le joueur 2 doit alors deviner si le joueur bluffe ou non.

- Si le joueur 2 dit BLUFF, il faut soulever la tasse. Si le joueur 1 bluffait, le joueur 1 est éliminé de la partie.

- Si le joueur 2 dit VÉRITÉ, la tasse n'a pas à être soulevée et les dés et la tasse sont transmis au joueur 2.

5. Ensuite, le joueur 2 secoue les dés dans la tasse qu'il retourne ensuite sur la table.

Le pointage du joueur 2 doit dépasser celui du joueur 1: sinon, le joueur 2 devra bluffer en se donnant un pointage supérieur.

6. La partie continue jusqu'à ce que tous les joueurs soient éliminés, sauf un — c'est le bluffeur gagnant.

Empile les colis.

Un sauvetage à Noël

Découvre le récit authentique et réconfortant d'une ville du Canada qui s'est rassemblée à Noël pour sauver des chevaux pris au piège.

C'était une semaine avant Noël, et Logan Jeck conduisait une motoneige à travers les montagnes, près de chez lui, dans la Robson Valley, au Canada.

Devant lui, il vit deux animaux. En les approchant, il reçut un choc. « C'étaient des chevaux malades et affamés », se rappelle-t-il. Ils avaient été pris au piège par la neige et se trouvaient au bord de la mort.

Logan se précipita chez lui et dit à son père et à sa sœur ce qu'il avait vu. Ensemble, ils discutèrent de la meilleure façon de libérer les chevaux de leur prison de neige. Ils songèrent à attacher les animaux à un hélicoptère, à les tirer au moyen de traîneaux, ou même à les équiper de raquettes à neige spéciales, mais aucune de ces solutions ne semblait réaliste.

La seule façon de secourir ces chevaux était de creuser un long passage à travers les hauts bancs de neige. Logan et sa sœur Toni répandirent le mot à travers la ville à propos de ces pauvres chevaux acculés au désespoir.

L'année avait été difficile dans la Robson Valley et bien des gens avaient perdu leurs emplois. Certains étaient occupés par les préparatifs de Noël et c'était l'un des hivers les plus durs qu'ils avaient vu depuis des années. Malgré tout cela, des volontaires commencèrent à affluer pour aider à creuser un passage qui allait sauver la vie des chevaux.

Bien des résidants n'avaient pas eu le temps d'installer des arbres de Noël ni d'acheter des cadeaux. « Mais ça nous semble encore être le meilleur Noël qu'on a jamais eu, » dit l'un d'eux. « On s'aperçoit que ce sont les choses les plus importantes dans la vie: aider quelque chose qui en a besoin. »

Dessine l'arbre le plus élevé de la forêt.

Décore les bas et accroches-en d'autres au-dessus de la cheminée.

Une balade sur les toits

Le père Noël a besoin de toi et de tes amis pour l'aider à livrer des cadeaux, cette année. Attelle les rennes et prépare-toi à un tour du monde sur les toits.

Chaque joueur doit placer une pièce de monnaie ou un jeton dans la case « Départ et arrivée ». À tour de rôle, chacun fait tourner la roue, déplace son jeton, puis suit les instructions qui apparaissent sur le carré sur lequel il atterrit. Le premier joueur à revenir à l'Atelier du père Noël l'emporte.

Un coup de vent te vient en aide. Avance de deux cases.

Le père Noël est coincé dans une cheminée! Passe un tour.

Les rennes ont une poussée d'énergie. Avance de deux cases.

Le père Noël a repéré un raccourci. Avance de quatre cases.

Ah non! Le traîneau s'est écrasé sur un poteau de téléphone! Passe un tour pour réparer les dommages.

CRAC !

Des vents de l'arrière font avancer le traîneau. Avance de quatre cases.

ATELIER DU PÈRE NOËL
DÉPART ET ARRIVÉE

Rudolphe glisse sur un toit et doit reposer son sabot. Passe un tour.

Certains cadeaux tombent du traîneau. Passe un tour pour les ramasser.

Des carottes laissées pour les rennes les font galoper plus rapidement. Fais un autre tour de roue.

ROUE

1 2 3 4 5 6

Découpe cette roue et enfonces-y un cure-dents au milieu. Pour le faire tourner, tiens le cure-dent à la verticale d'une main, et fais tourner la roue de l'autre. Le numéro qui figure en haut de la roue lorsqu'elle s'arrête te donne le nombre de cases qu'il faut parcourir.

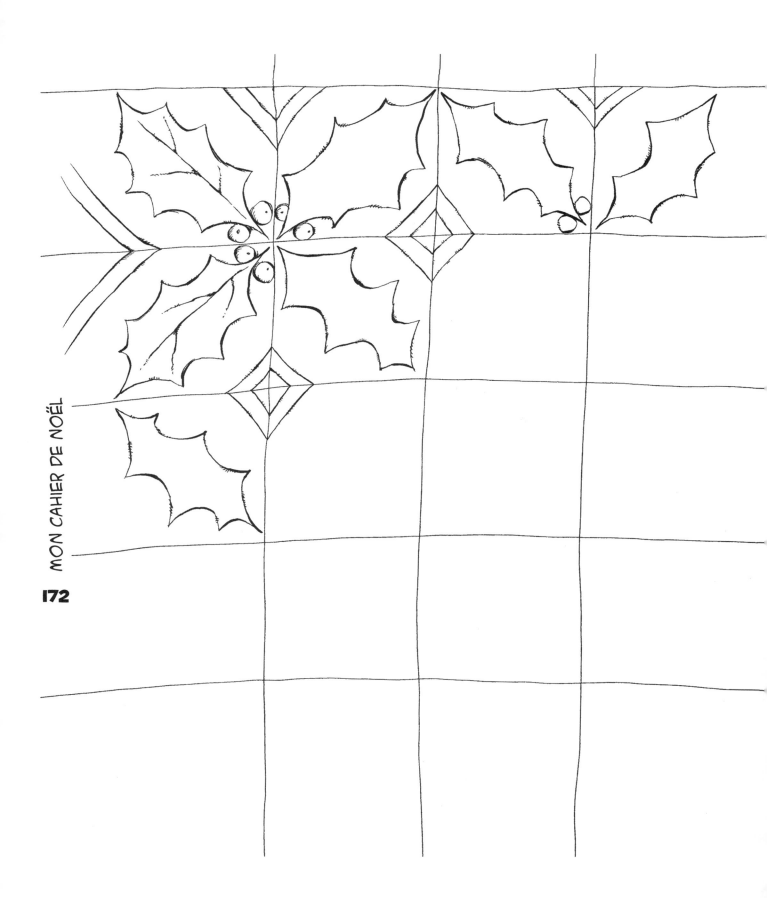

Complète ce motif festif.

Conçois pour le père Noël
l'ultime supertraîneau.

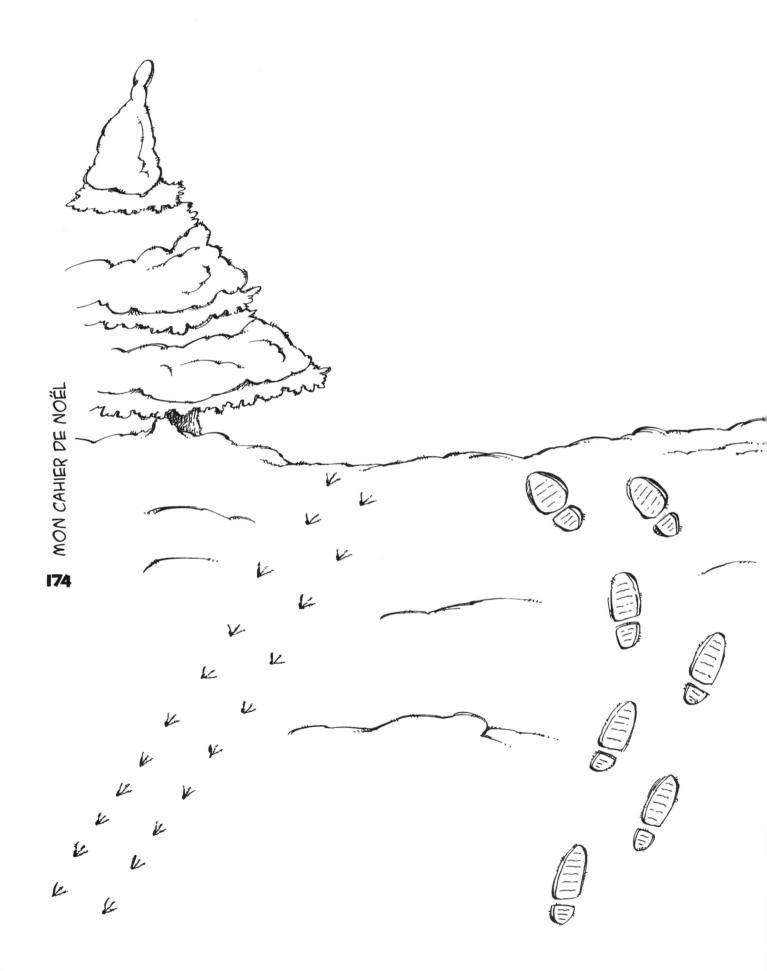

À qui les empreintes ?

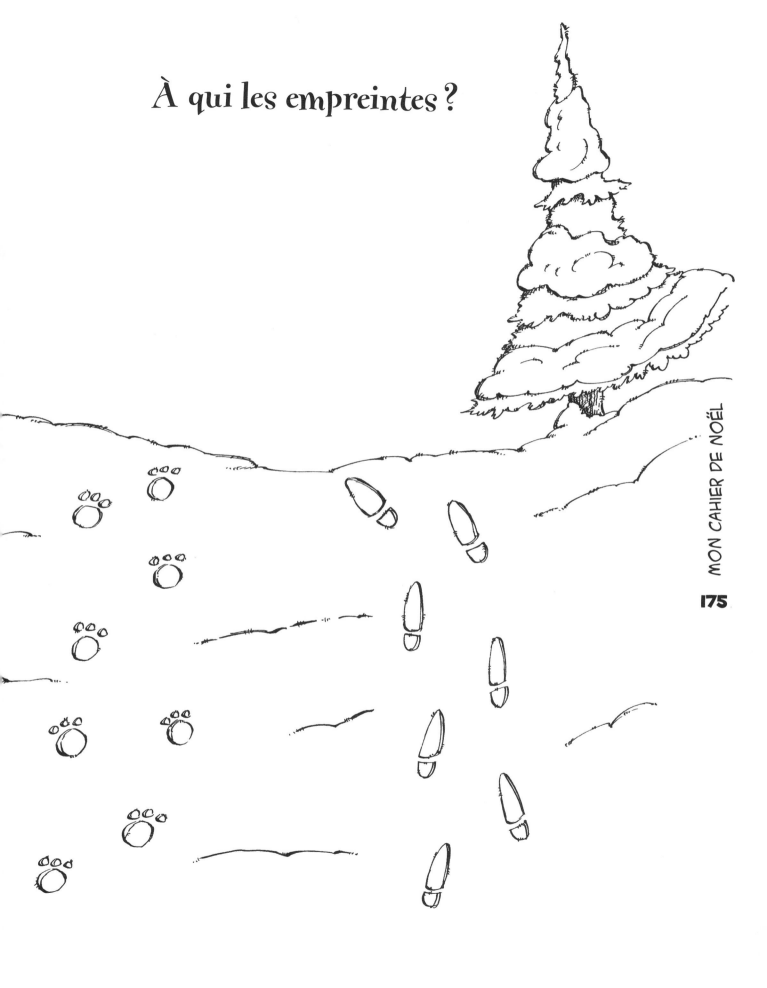

Sudoku des neiges

Ben le bonhomme de neige a quatre grilles illustrées. Peux-tu compléter les grilles de façon à ce que les colonnes et les rangées et les quatre carrés contiennent chacun tous les éléments énumérés en dessous grands ?

Tu peux vérifier tes réponses la page 254.

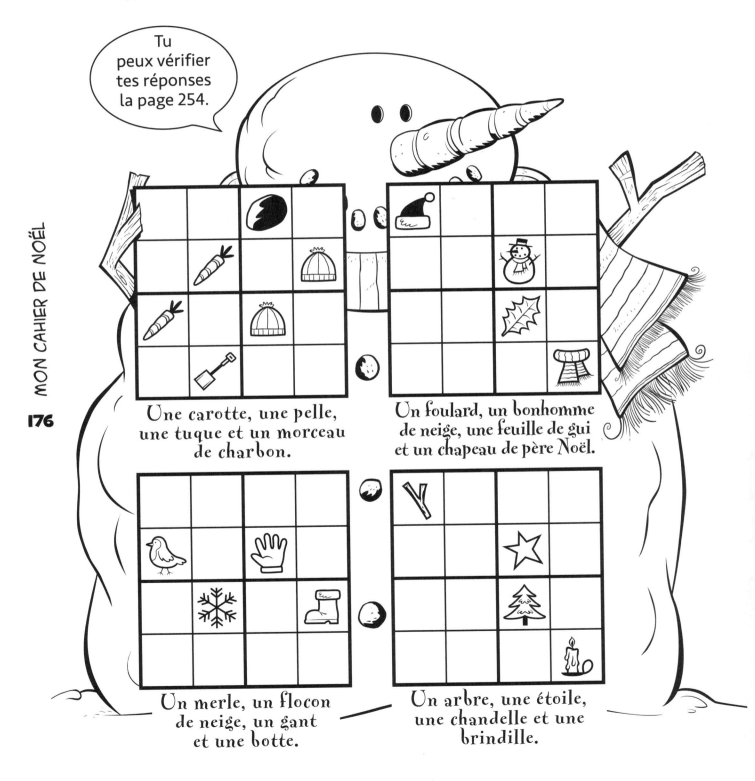

Une carotte, une pelle, une tuque et un morceau de charbon.

Un foulard, un bonhomme de neige, une feuille de gui et un chapeau de père Noël.

Un merle, un flocon de neige, un gant et une botte.

Un arbre, une étoile, une chandelle et une brindille.

Le sudoku du magasin

Une amie donne un coup de main dans un grand magasin au cours de la période de Noël, et te demande d'arranger les étalages des vitrines.

Complète les fenêtres de façon à ce que les colonnes, les rangées et quatre plus grands carrés contiennent chacun tous les objets énumérés au bas de cette fenêtre sans qu'aucun ne se répète. Les réponses se trouvent à la page 254.

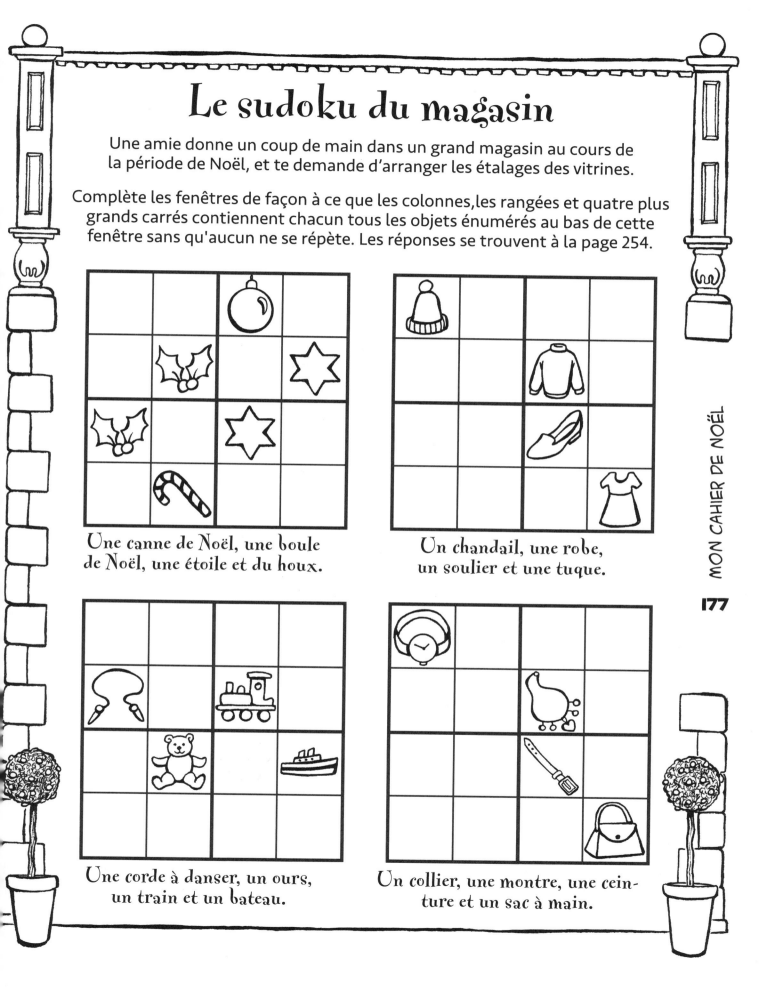

Une canne de Noël, une boule de Noël, une étoile et du houx.

Un chandail, une robe, un soulier et une tuque.

Une corde à danser, un ours, un train et un bateau.

Un collier, une montre, une ceinture et un sac à main.

Qu'est-ce que les animaux ont reçu ?

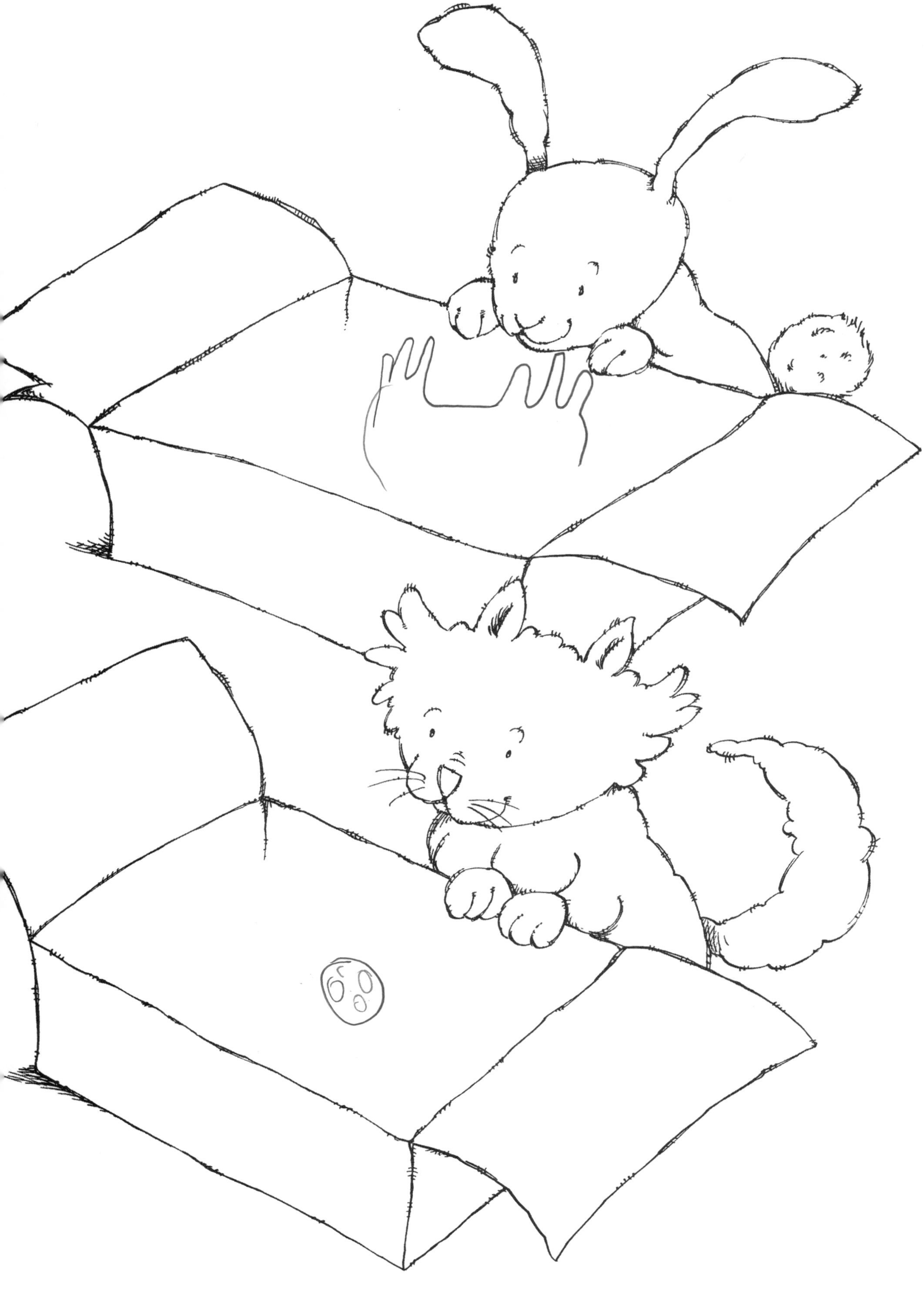

La fête parfaite

Invite des amis, fais jouer de la musique de Noël, et ayez la meilleure des fêtes de Noël ! Voici comment...

L'ARBRE DE NOËL HUMAIN

C'est un jeu amusant et rapide qui met à l'épreuve la créativité de vos amis. Voici comment il se joue.

1. Rassemble tous les papiers, rubans, guirlandes de Noël et emballages que tu peux trouver et divise-les en deux piles équivalentes.

2. Sépare tes invités en deux équipes et, dans chacune, choisis le joueur qui sera l'arbre de Noël humain.

3. Les équipes ont alors cinq minutes pour décorer leur joueur. En tant qu'hôte, c'est toi qui décides quelle équipe a fait le meilleur travail.

LES OLYMPIQUES DES BALLES DE NEIGE

Ce sera la folie de la guimauve quand ce jeu commencera !

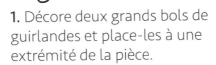

1. Décore deux grands bols de guirlandes et place-les à une extrémité de la pièce.

2. Sépare tes invités en deux équipes et donne à chaque joueur trois guimauves.

3. Demande aux joueurs de se tenir à 2 m de distance des bols. Chaque joueur doit lancer autant de guimauves qu'il le peu dans son bol.

L'équipe qui place le plus grand nombre de guimauves dans son bol l'emporte.

Demande à tes invités d'écrire des messages dans ce rectangle.

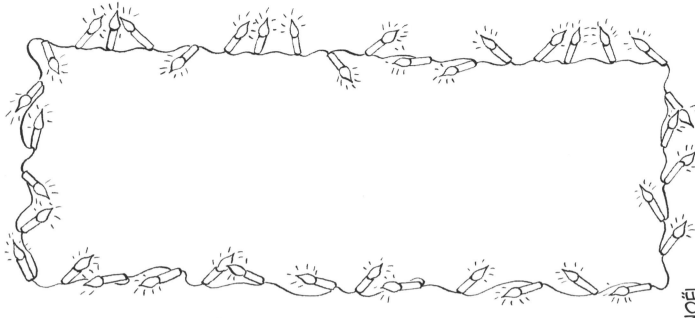

DES SERPENTINS À SOUFFLER

Installe une table de bricolage afin que tes invités puissent fabriquer leurs propres serpentins à souffler. Voici comment...

Il te faudra:

• tas de bandes d'emballage cadeau, mesurant 5 x 20 cm • pailles à boire découpées en longueurs de 5 cm • ruban gommé

Quoi faire:

1. Pliez une bande de papier en trois, dans le sens de la longueur, et utilisez du ruban gommé pour sceller le côté et l'une des extrémités.

2. En commençant par l'extrémité scellée, enroule le papier.

3. Place un bout de paille à l'extrémité ouverte du papier et utilise du ruban gommé pour la maintenir en place. Assure-toi qu'il n'y a pas de jeu entre la paille et le dessus du papier.

4. Souffle dans la paille. Tadam !

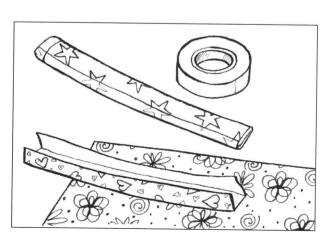

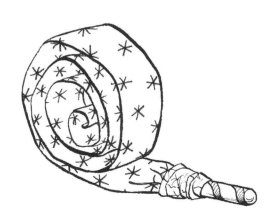

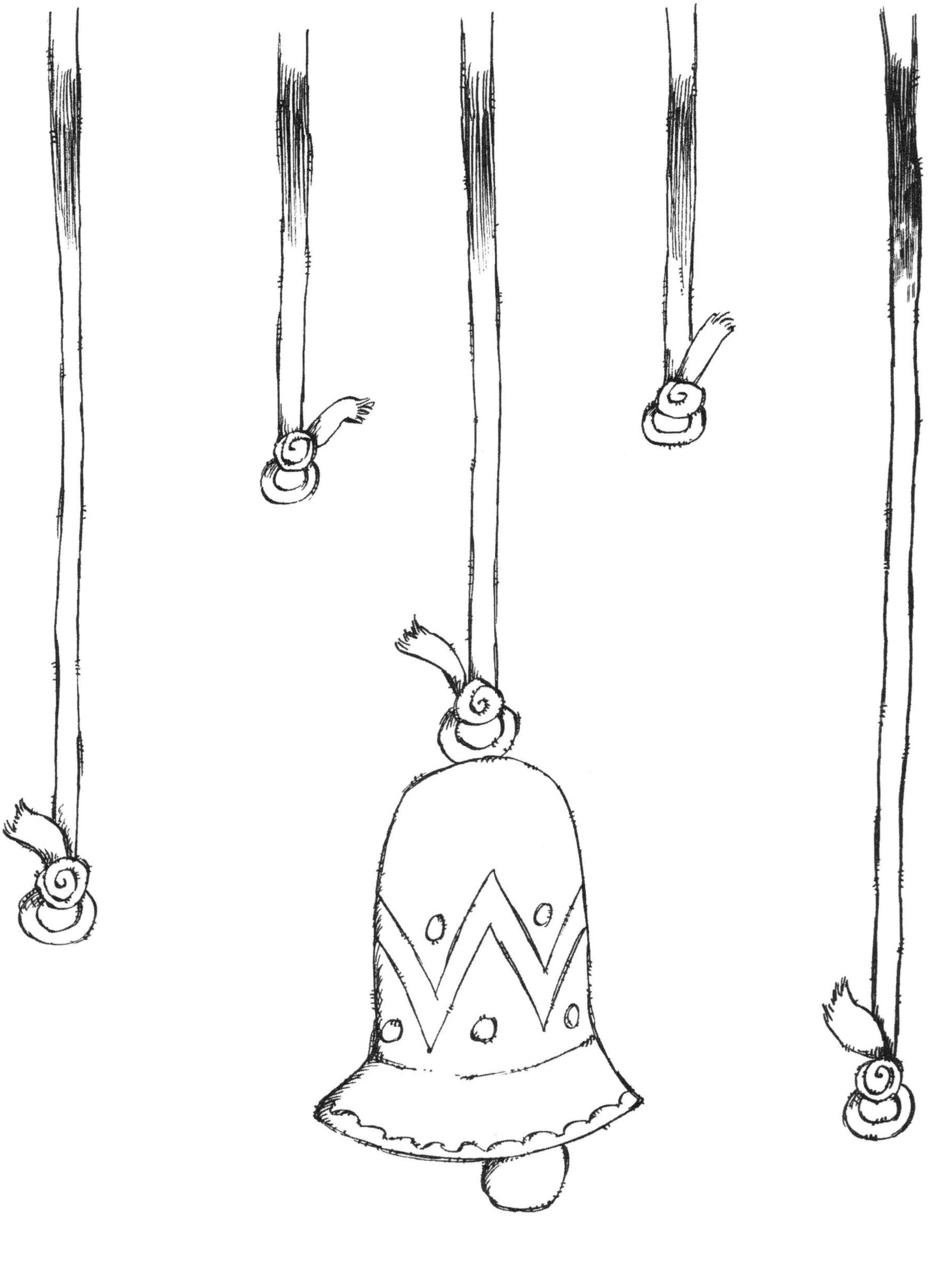

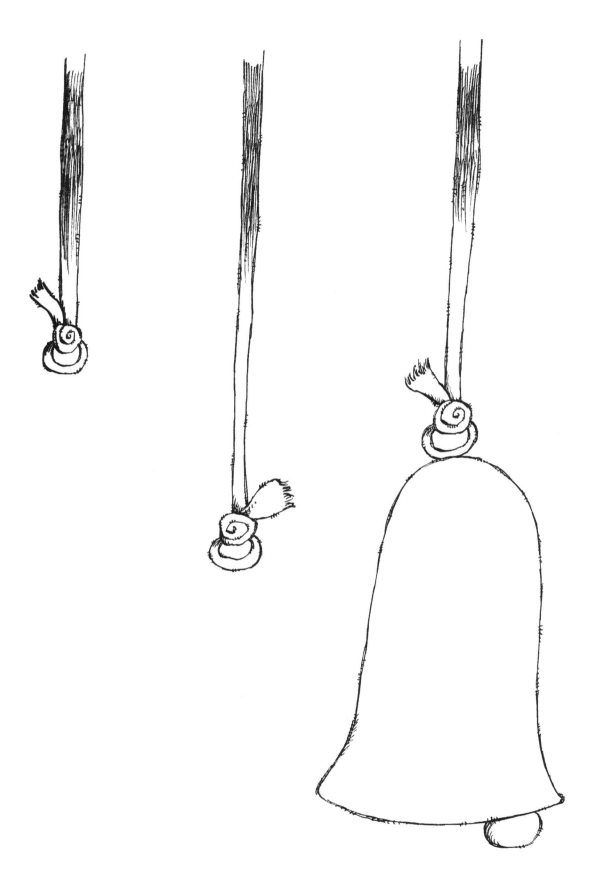

Ding-dong, les cloches sonnent.

Des plats savoureux

Noël est une période de festins. Laisse-toi prendre
à ces jeux appétissants. Vérifie tes réponses à la page 254.

DES REPAS DIFFÉRENTS

Associe la nourriture traditionnelle de Noël au pays ci dessous.
Le premier a été fait pour toi.

1. Curry de chèvre
2. Dinde rôtie à la sauce aux canneberges
3. Hareng mariné
4. Anguille rôtie
5. Requin séché
6. Salade d'orange, de pamplemousse
   et de radis

A. Italie
B. Jamaïque
C. Islande
D. Mexique
E. Royaume-Uni
F. Suède

LA RUÉE DES EMPLETTES

Il manque à ta famille quelques ingrédients essentiels au dîner de Noël, et elle t'a envoyé faire les achats.

Le premier élément de ta liste se vend dans une boutique qui n'est à aucune extrémité de la rue. La boutique n'est voisine d'aucune boutique qui vend de la nourriture ou des timbres. Achètes-tu de la viande, des légumes ou des bonbons ?

Tu achètes le premier article et tu vas dans la boutique d'en face. Puis, tu en sors et tu tournes à gauche, et tu achètes quelque chose de la boutique voisine. Achètes-tu des timbres, des bonbons ou du fromage ?

Tu sors, tu tournes à droite et tu achètes un autre article à la boutique, deux portes plus loin. Achètes-tu des bananes, du pain ou des fleurs ?

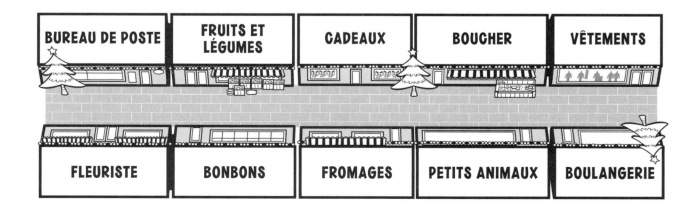

Décore la cheminée pour les fêtes.

Le défi de la boutique de bonbons

Il te reste 3 dollars dans ton porte-monnaie. Tu veux acheter 10 souris en sucre pour les offrir en cadeau à Noël à ta tante Marguerite. Combien de barres de chocolat peux-tu acheter avec la monnaie ? D'un autre côté, avec la monnaie, si tu achetais un seul biscuit de pain d'épice, deux cannes de Noël et huit jujubes, combien de barres de chocolat pourrais-tu alors acheter ? (Il te restera peut-être des sous dans ton porte-monnaie en rentrant chez toi !)

Biscuits de pain d'épice 10 ¢

Souris en sucre 5 ¢

Barres de chocolat 20 ¢

Cannes de Noël 15 ¢

Jujubes 2 ¢

Qu'aimerais-tu manger au dîner de Noël ?

Couvre la maison de guirlandes électriques.

Des cadeaux emballants

Tu veux savoir comment emballer tes cadeaux d'une manière épatante ? Voici des idées amusantes qui te permettront de présenter des cadeaux remarquables.

JOLIS PAPIERS

Pour obtenir cet aspect simple, mais raffiné, commence par emballer chaque présent dans un papier cadeau uni — le plus possible d'une teinte éclatante.

Puis, découpe une large bande de joli papier à motif, d'une teinte contrastante, qui s'ajuste autour de la boîte, en laissant paraître juste un peu du papier uni des deux côtés.

Finalement, attacher un mince ruban au milieu de la bande à motif donnera la touche finale à tes très chics cadeaux.

PENSE À PART

Le papier cadeau commercial t'ennuie ? Utilise ta créativité pour trouver d'autres matériaux à utiliser pour couvrir tes cadeaux d'une façon vraiment originale. Voici quelques idées pour te permettre de démarrer :

• Emballe une photo de vacances encadrée dans une carte de l'endroit où elle a été prise.

• Mets du shampooing et du bain moussant dans un luxueux baluchon en utilisant un châle aux couleurs vives.

• Couvre des CD ou des billets de concert dans une feuille de partition pour l'effet tout à fait cool.

DES RUBANS DÉMENTS

Les rubans sont super lorsqu'il s'agit de donner du piment à un cadeau emballé. Pour obtenir un effet d'élégance simple, enroule un ruban autour d'un présent en forme de croix et attache-le avec une grosse boucle, ou essaie de superposer en couches des textures et des largeurs de ruban différentes. Pour un aspect vraiment luxueux, la dentelle, le velours et le satin donnent un effet super aux cadeaux.

Complète tes présents avec d'autres articles de Noël, comme des branches de houx, des cannes de Noël et des guirlandes argentées : cela les rendra si jolis qu'on hésitera à les déchirer pour les ouvrir !

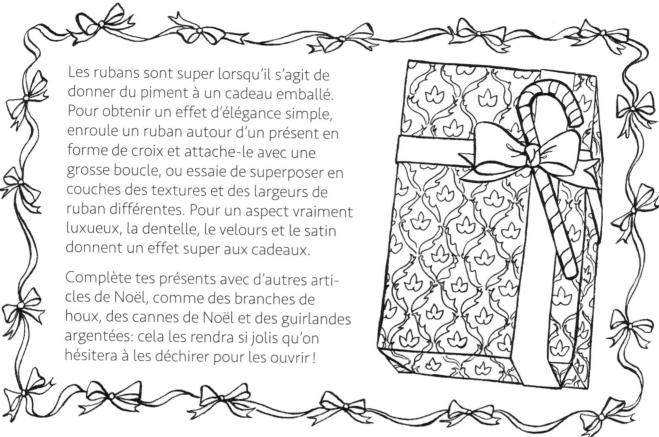

Donne une allure splendide à ces cadeaux avec du papier, des boucles et des rubans.

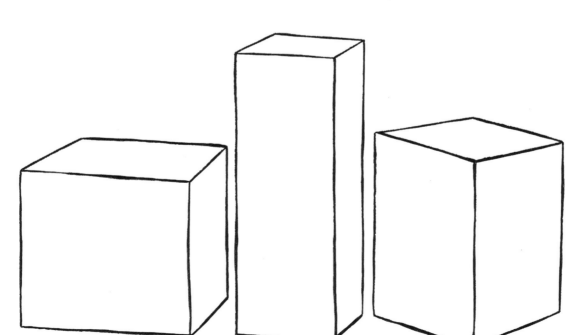

À quels jeux sont-ils en train de jouer ?

Les meilleurs jeux sur table

Si tu te sens trop lourd pour bouger après t'être rempli la panse au dîner de Noël, pourquoi ne pas jouer à ces jeux sur table amusants ? Tu n'as même pas à te déplacer !

DANS MON BAS, J'AI TROUVÉ...

1. Les joueurs doivent à tour de rôle ajouter quelque chose à une liste d'articles imaginaires qu'ils ont trouvés dans un bas.

2. Le premier joueur démarre en disant « Dans mon bas de Noël, j'ai trouvé… » puis choisit un article. Par exemple « … une voiture sport ». Tu peux inclure n'importe quoi — plus c'est amusant, mieux c'est.

3. La personne suivante doit répéter toute la liste, puis ajouter un autre article.

4. Tout joueur qui oublie un article en répétant la liste est éliminé.

La partie continue jusqu'à ce qu'il ne reste qu'un joueur.

TROUVE LE MENSONGE

1. À tour de rôle, les joueurs annoncent sur eux-mêmes deux affirmations vraies et une affirmation fausse.

Par exemple: « Je connais toutes paroles de la chanson *Vive le vent*. J'ai déjà mangé un ver et ma crème glacée préférée est aux bleuets. »

2. Tous les autres doivent déterminer quelle affirmation ils considèrent comme un mensonge. Si personne ne devine le mensonge, le joueur gagne un point.

3. Le joueur gagnant est celui qui a le plus grand nombre de points après que tout le monde a complété deux tours.

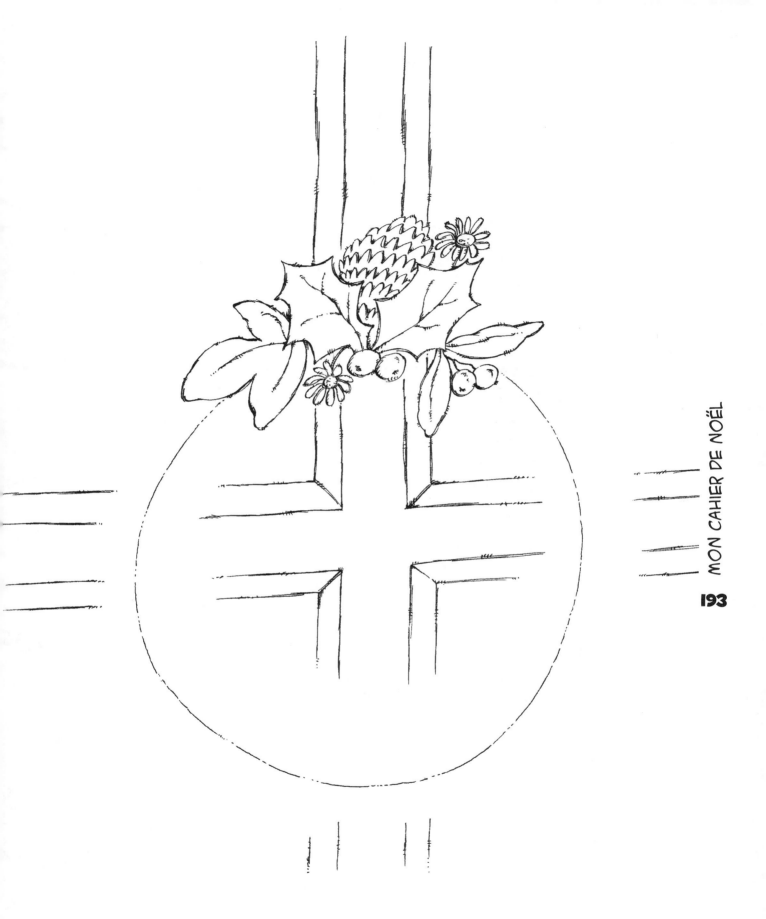

Complète la couronne sur la porte.

Super course de traîneau

C'est la veille de Noël, et le père Noël t'a demandé, à toi et à tes amis, de l'aider à livrer les présents !

Place une pièce de monnaie ou un jeton pour chaque joueur sur la ligne de départ dans la grotte du père Noël, puis pars à la course dans ton traîneau. Le gagnant est le premier qui livrera les présents à la maison à la fin.

ITALIE

BRÉSIL

Un renne a besoin d'être nourri. Passe un tour.

Rudolphe connaît un raccourci. Prends une longueur d'avance.

Tu as mal lu la carte. Recule de 4 cases.

Tu glisses sur une plaque de glace. Avance de 2 cases.

ÉGYPTE

FRANCE

Tu passes un tour en attendant que les enfants s'endorment.

ARRIVÉE

HOLLANDE

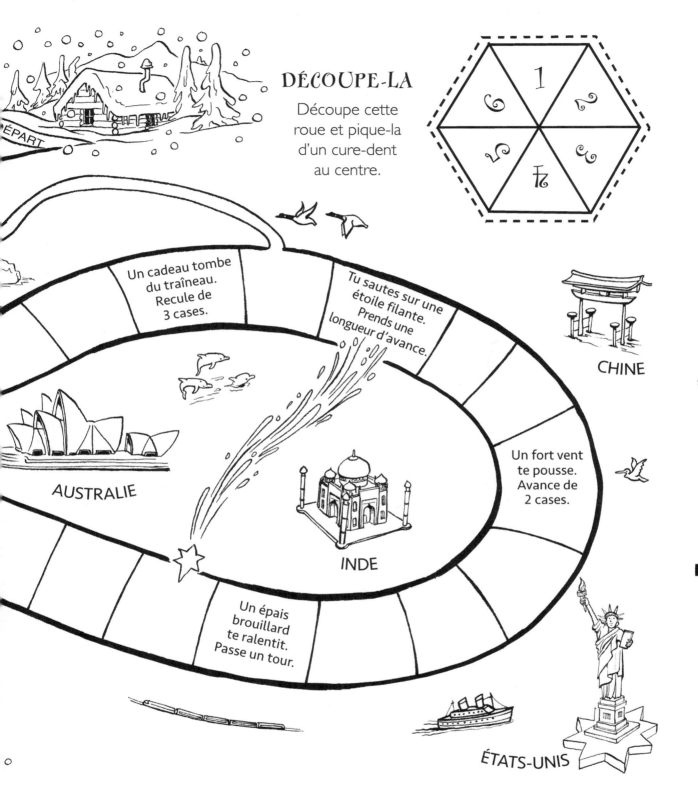

DÉCOUPE-LA

Découpe cette roue et pique-la d'un cure-dent au centre.

ÉPART

Un cadeau tombe du traîneau. Recule de 3 cases.

Tu sautes sur une étoile filante. Prends une longueur d'avance.

CHINE

AUSTRALIE

INDE

Un fort vent te pousse. Avance de 2 cases.

Un épais brouillard te ralentit. Passe un tour.

ÉTATS-UNIS

POUR TOURNER

Pour faire tourner la roue, tiens le cure-dent à la verticale entre l'index et le pouce, et tourne-le. Le nombre qui est au sommet de la roue lorsqu'elle s'arrête te donne le nombre de cases dont tu feras avancer ton jeton.

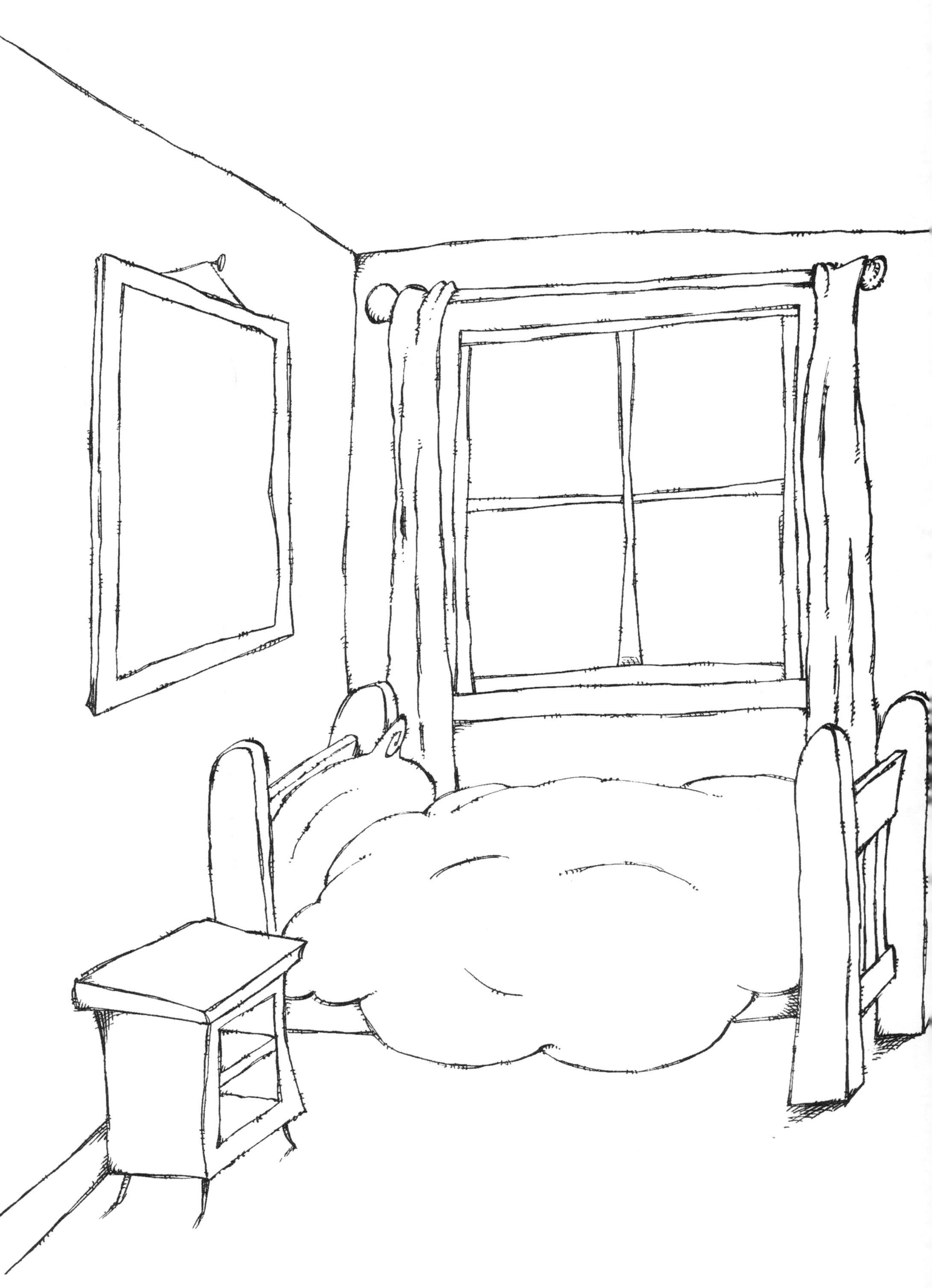

Décore la chambre à coucher.

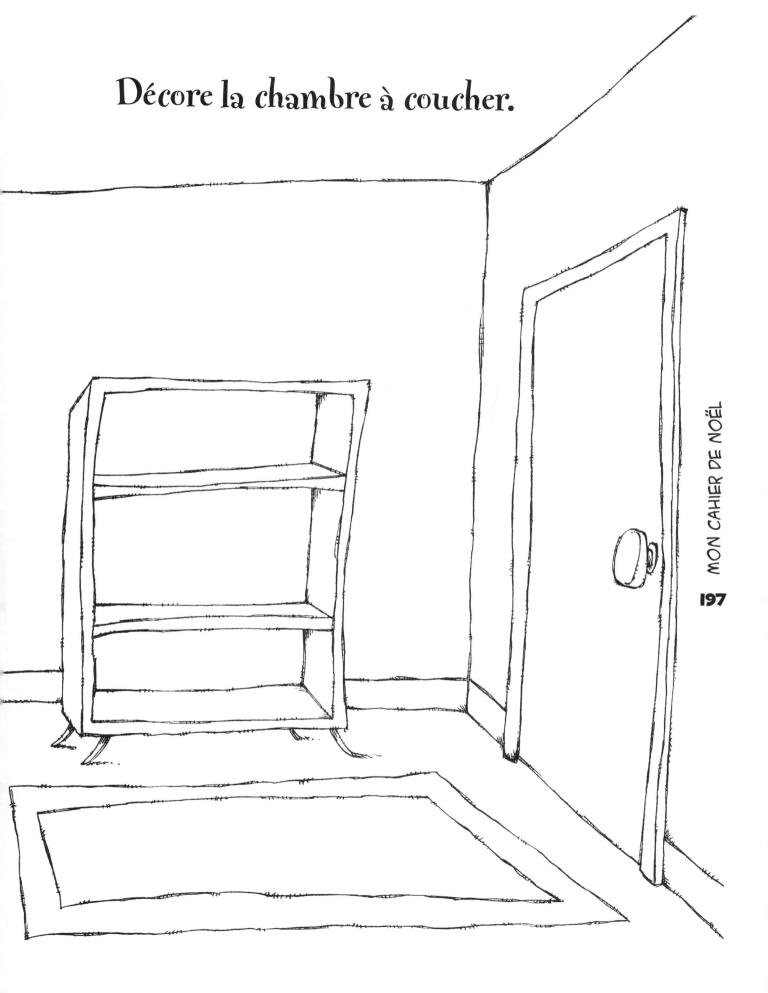

Des motifs fous

1. Donne à chaque joueur une feuille de papier et un crayon.

2. Les joueurs doivent alors dessiner 20 petits points, n'importe où sur la feuille — plus ils sont espacés au hasard, mieux c'est.

3. Lorsque toutes les feuilles de papier comprend le bon nombre de points, rassemble-les et mêle-les.

4. Tends à chaque joueur une des feuilles.

5. Les joueurs ont alors une minute pour relier les points de façon à composer l'image la plus folle sur le thème de Noël.

6. Lorsque la minute est écoulée, toutes les œuvres d'art doivent être exposées et on passe au vote.

Le joueur dont l'image reçoit le plus grand nombre de votes l'emporte.

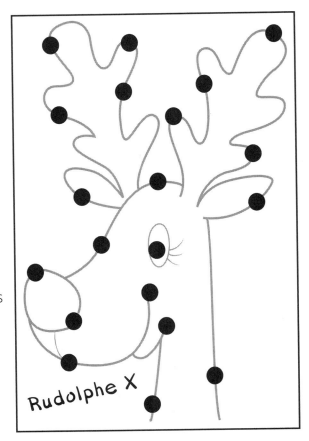

Rudolphe X

LE JEU DU NOM DE NOËL

1. Chaque joueur doit penser à un célèbre personnage de Noël d'un film, d'un livre ou d'une chanson, pour le joueur à sa droite. Ne le dis pas tout haut.

Voici des idées de personnage: Scrooge ou Tiny Tim du roman *Un conte de Noël* de Charles Dickens; un lutin; Frosty le bonhomme de neige; l'un des rennes du père Noël; le Grincheux.

2. Écris le nom sur un papillon adhésif et colle-le sur le front du joueur qui se trouve à ta droite. Assure-toi qu'il ne puisse pas le lire.

3. Le joueur le plus jeune commence. Il doit deviner le nom qui se trouve sur son front en posant des questions auxquelles il faut répondre par oui ou par non.

Par exemple: Suis-je un chant de Noël? ou Suis-je l'un des rennes du père Noël? Si la réponse à une question est non, c'est au tour du joueur suivant.

4. Le gagnant est le premier joueur à deviner qui il est. Continuez de jouer jusqu'à ce que chacun découvre quel est son célèbre personnage de Noël.

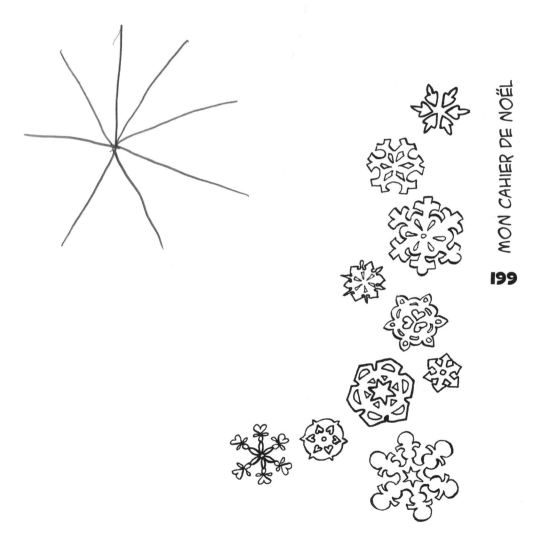

Remplis la page de flocons de neige.

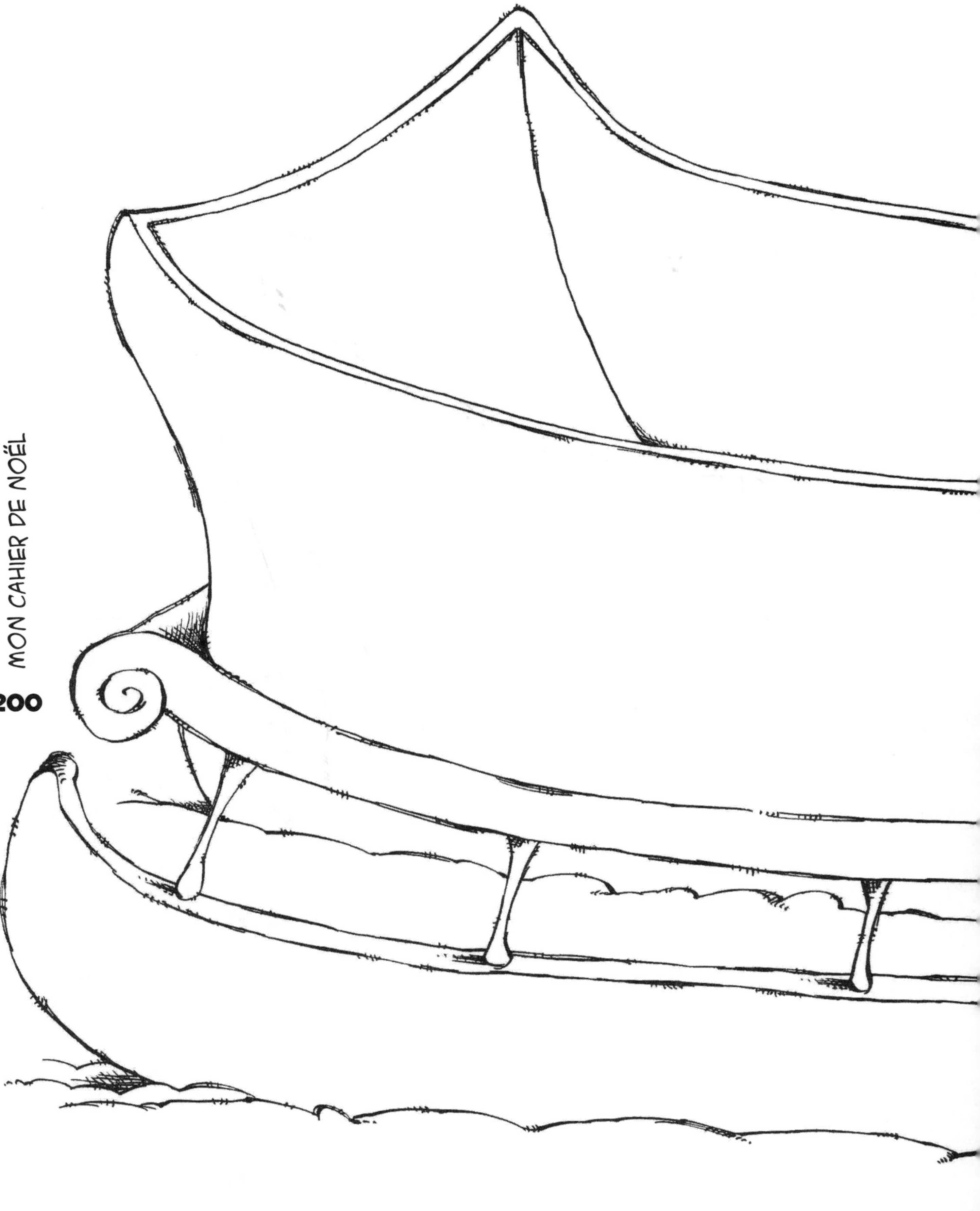

Qu'y a-t-il dans le traîneau ?

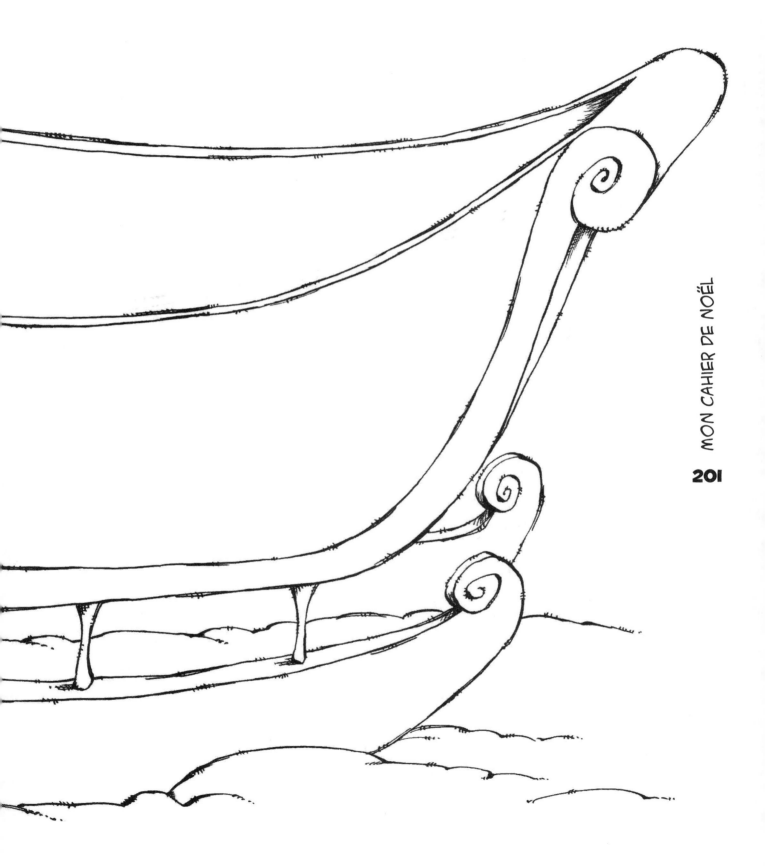

Course à obstacles de Noël

Après ce dîner de Noël, il est temps de faire de l'exercice. Sors dans la cour arrière — ou le parc — et brûle en partie les calories de ces plats délicieux.

LA COURSE À OBSTACLES DE NOËL

Fixe le parcours du combattant ci-dessous dans ta cour arrière ou dans le parc.

Place six bâtons au sol, espacés également. Les bâtons entre la « ligne de départ » et la « ligne d'arrivée » représentent chacun une « station ». Tous les concurrents doivent compléter les tâches suivantes à chaque « station ».

Station un: Saute 20 fois dans un anneau de corde ou un cerceau.

Station deux: Les joueurs doivent arriver à la station trois en posant des feuilles de journal au sol et en marchant dessus — s'ils marchent sur le sol, ils doivent retourner à la ligne de départ.

Station trois: Mets un chapeau de fête et saute sur place 20 fois.

Station quatre: Mets un tablier et fais la roue, puis le poirier, puis une roulade et cours à la station cinq.

Station cinq: Toujours avec le tablier, dandine-toi comme un pingouin jusqu'à la ligne d'arrivée.

Compte le temps qu'il faut à chaque concurrent pour compléter le parcours. Celui qui atteint le plus rapidement la ligne d'arrivée l'emporte.

LIGNE DE DÉPART

STATION UN

STATION DEUX

STATION TROIS

STATION QUATRE

STATION CINQ

LIGNE D'ARRIVÉE

LE TOUCHER QUI FIGE

Choisis une personne qui sera « le chat ». Elle doit courir après autres joueurs et les « toucher ». Lorsqu'un joueur est touché, il doit « figer » sur place et rester les jambes écartées, sans bouger.

Les joueurs doivent rester figés jusqu'à ce qu'un autre joueur les « décongèle » en rampant entre leurs jambes. La partie se termine lorsque tous les joueurs sauf le « chat » sont figés. La dernière personne à être figée devient le « chat » pour la ronde suivante.

RELAI DE BOULES DE NEIGE

Place deux bâtons à environ 40 m de distance. Donne à chaque joueur un « bas de Noël » — une grande chaussette fait l'affaire.

Place un sac de « boules de neige » (des boules d'ouate) à l'autre extrémité du parcours.

Les joueurs doivent sprinter d'un bout à l'autre du parcours, en saisissant une boule de neige et en la mettant dans leur bas chaque fois qu'ils atteignent le sac de boules de neige.

Le joueur gagnant est le premier à atteindre la ligne d'arrivée avec 10 boules de neige dans son bas.

LA RECHERCHE DE FRIANDISES

À tour de rôle, cachez de petits trésors dans le jardin ou le parc, comme des cannes de Noël, des friandises enveloppées ou des pièces d'or en chocolat. En utilisant un chronomètre, celui qui cache les objets compte une minute.

La personne qui trouve le plus de friandises pendant ce temps gagne la partie.

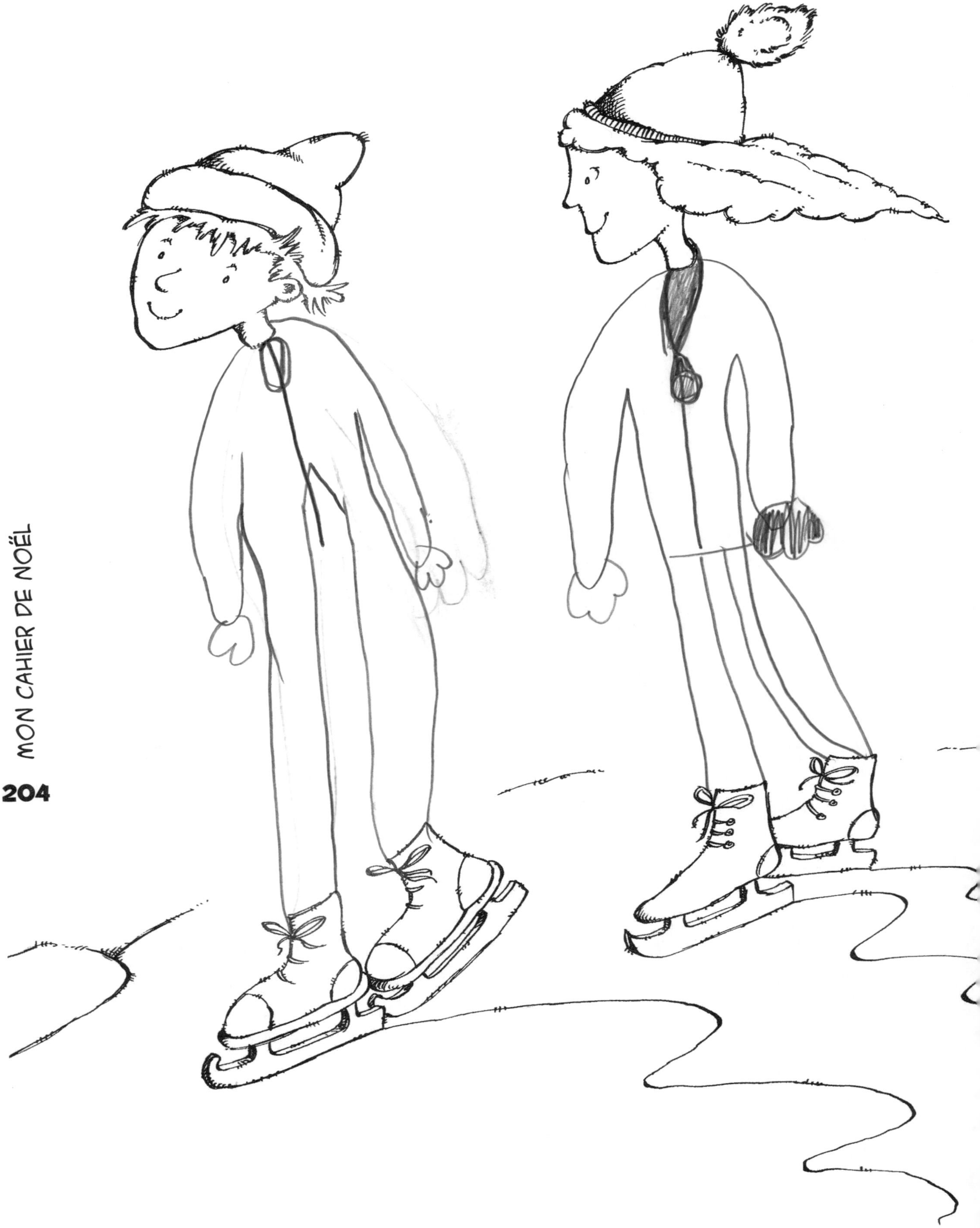

Donne-leur des beaux costumes de patinage.

Paniers de Noël

Ton école a rassemblé des paniers de Noël alimentaires pour des gens dans le besoin. Peux-tu les livrer aux emplacements suivants sur la carte ?

1. D4 **2.** C2 **3.** A3 **4.** E1 **5.** B4

Ces nombres et ces lettres s'appellent des coordonnées. Pour les utiliser, place ton doigt sur la lettre mentionnée. Déplace-le le long de la rangée vers la colonne qui correspond au nombre. Dans ce carré, tu trouveras le symbole auquel réfère la coordonnée. Utilise la clé pour trouver où doit aller chaque panier. Vérifie tes réponses à la page 254.

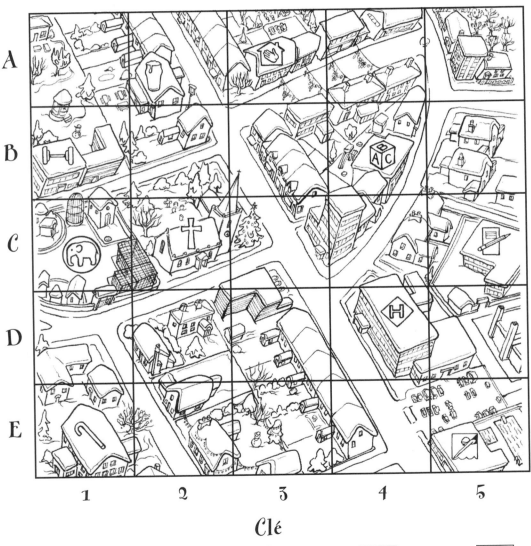

Clé

 église

 hôpital

 garderie

 gym

 jardin zoologique

 résidence pour personnes âgées

 piscine

 organisme pour sans-abris

 école

 resto

Dessine ton propre papier cadeau.

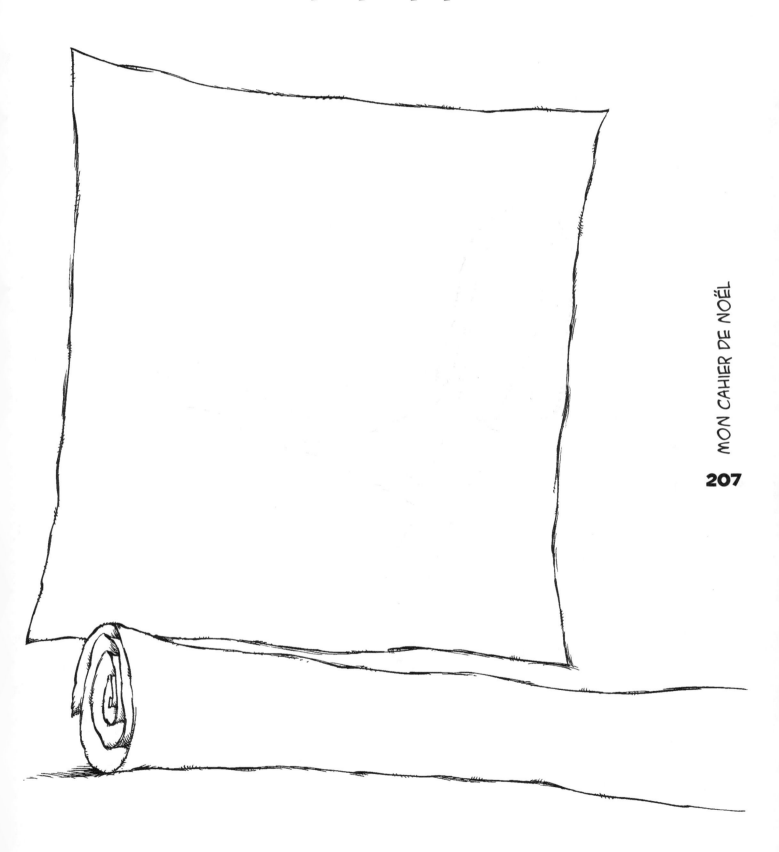

Surprise !

Il est temps de déballer des présents mystérieux.
Vérifie tes réponses à la page 255.

JEU SUBTIL

Il y a trois cadeaux cachés dans cette maison.

Pour les trouver, tu dois résoudre les devinettes.

1. Un présent est caché derrière quelque chose qui a des aiguilles sans avoir de fil, et des chiffres sans savoir calculer.

2. Un présent est caché sous quelque chose qui contient des monarques et des symboles d'amour.

3. Le dernier présent est enfoui entre les planches du parquet, à côté de quelque chose qui vit si tu le nourris, mais meurt si tu lui donnes de l'eau.

CADEAUX DE NOËL

Tu donnes à ta tante Betty, à ta tante Suzanne, à ta tante Jeanne et à ta tante Marie chacune un savon et une bouteille de bain moussant.

Peux-tu dessiner deux lignes droites de façon à diviser les présents, afin que chaque section contienne un savon et une bouteille de bain moussant ?

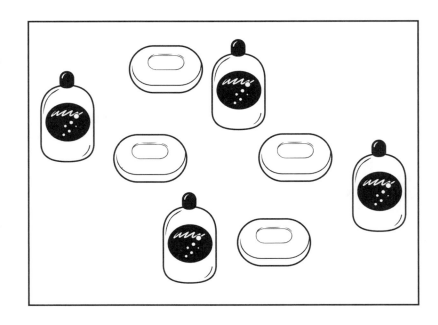

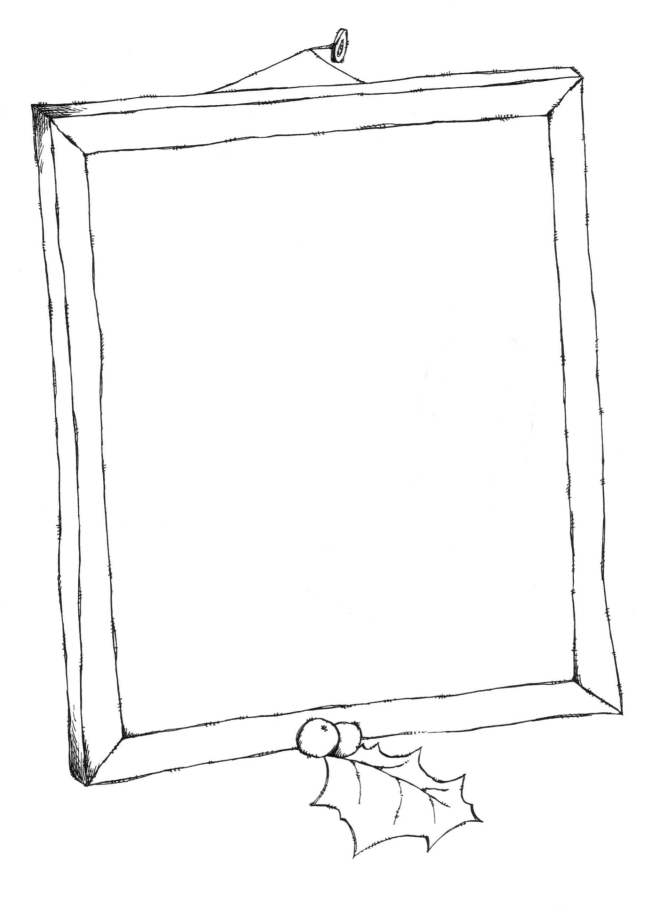

Écris un poème de Noël.

Souvenirs de Noël

Garde un souvenir des belles choses qui sont arrivées à Noël
en répondant à ces questions avant la fin des vacances de Noël.

Qu'as-tu fait la veille de Noël ?

_____

_____

_____

_____

_____

**Y a-t-il des traditions que ta famille
suit chaque Noël ?**

_____

_____

_____

_____

_____

Qui se trouvait chez toi le jour de Noël ?

_____

_____

_____

_____

**Quelle est la chose la plus amusante
qui s'est passée ?**

_____

_____

_____

_____

Qu'avais-tu à manger à Noël ?
Dessine-le sur cette assiette.

Qu'as-tu porté à Noël ?
Dessine ton costume sur cette fille.

Quel cadeau de Noël as-tu le plus aimé ?
Dessine-le ici.

Donner des cadeaux

CHOISIR DES PRÉSENTS

Chacun de ces cercles représente un type de présent. Les lettres représentent les gens pour lesquels tu as à acheter des cadeaux.

Là où les cercles se chevauchent, tu peux acheter plus d'un type de cadeau pour la personne qui se trouve à l'intérieur. Par exemple, D aime le sport et les livres, mais n'aime pas le parfum ni les jeux sur ordinateur.

Peux-tu déterminer qui aime le parfum, les sports et les jeux sur ordinateur, mais n'aime pas les livres ? À qui pourrais-tu acheter un livre ou un jeu sur ordinateur, mais pas de parfum ni d'objet sportif ?

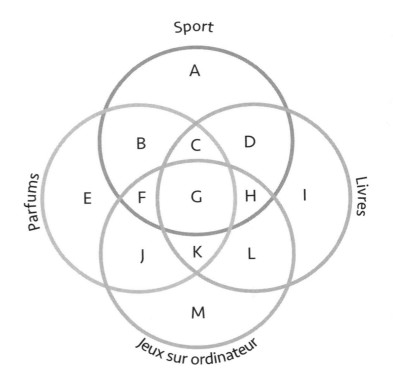

RELIE LES POINTS

Relie les points dans l'ordre qui convient afin de voir ce que Jacques a reçu à Noël.

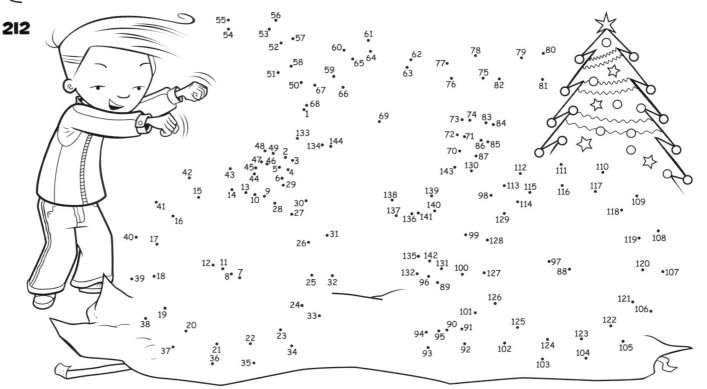

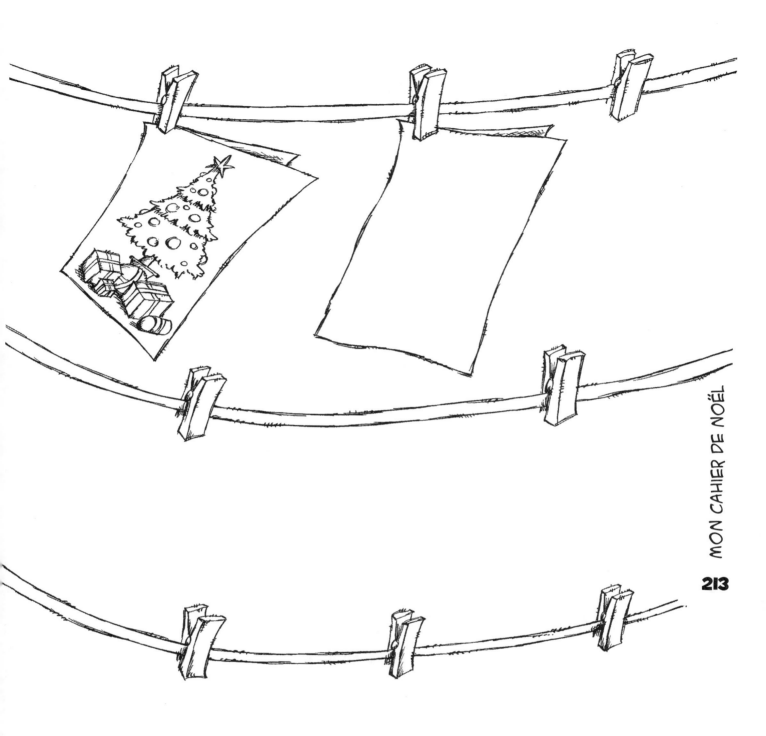

Dessine les cartes sur la corde.

Bingo de Noël

Ce Noël, sois le meilleur au bingo.

COMMENT JOUER

1. Ce jeu nécessite trois joueurs. Lorsque tu auras trouvé trois personnes prêtes à relever le défi, choisis qui sera le « crieur ». Les deux autres joueurs sont les « pères Noël ».

2. Découpe les sacs et tous les jetons dans la page ci-contre.

3. Un « père Noël » prend les jetons de houx et le sac de houx. L'autre a les jetons d'arbres de Noël et le sac d'arbres de Noël.

4. Sans laisser voir le « crieur », les « pères Noël » doivent ensuite choisir six jetons et les placer, face vers le haut, sur leur plateau de jeu en forme de sac.

Pendant toute la partie, les « pères Noël » doivent cacher au « crieur » leurs plateaux de jeu.

5. Le « crieur » choisit l'un des présents de la liste ci-dessous, et dit, par exemple « Prends la planche à roulettes ». Si l'un ou l'autre « père Noël » a la planche à roulettes sur son plateau de jeu, il le donne au « crieur ».

6. Le « crieur » poursuit ainsi, en choisissant des présents à même la liste, dans n'importe quel ordre, jusqu'à ce que l'un des « pères Noël » ait vidé son sac.

7. Le premier « père Noël » à qui il ne reste plus aucun cadeau crie BINGO ! et remporte la partie.

LISTE DES OBJETS

1. Chaussettes
2. Livre de cuisine
3. Planche à roulettes
4. Savon
5. Avion jouet
6. Appareil photo
7. Ballon de soccer
8. Cravate
9. Voiture jouet
10. Bain moussant
11. Balles à jongler
12. Chemise

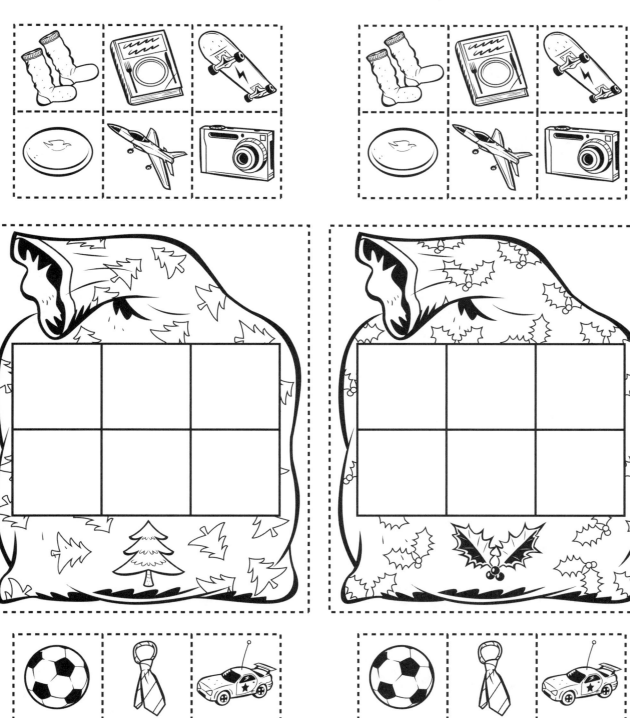

Regarde les chaussettes de Noël de papa !

Registre de cadeaux

Complète ce registre de cadeaux à mesure que tu ouvriras les tiens,
afin de te rappeler à qui envoyer une note de remerciement !

NOM	CADEAU

Qu'y a-t-il sur ta liste de Noël de l'an prochain ?

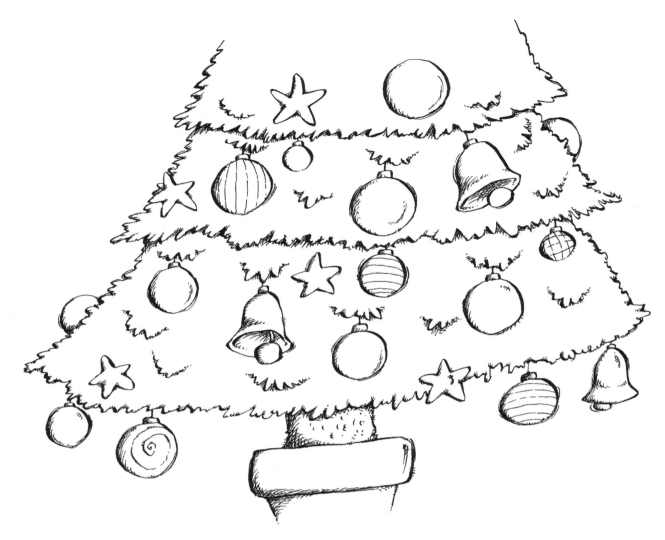

Empile les cadeaux sous l'arbre.

La puissance de Noël

Voici l'histoire authentique d'un court intervalle de paix survenu au cours de la Première Guerre mondiale — un conflit brutal qui débuta en 1914.

La Première Guerre mondiale fut livrée en grande partie sur des champs de bataille de France et de Belgique, dans une zone de combat appelée le front de l'Ouest. Contre les Allemands se battaient, entre autres pays, des milliers de soldats britanniques. Les soldats de part et d'autre se tiraient dessus à partir d'immenses tranchées creusées dans le sol.

La veille de Noël 1914, trois mois après le début de la guerre, le crépuscule commençait à tomber dans les tranchées. Pour la première fois depuis le début de la guerre, le bruit des obus se mit par miracle à se calmer, puis s'arrêta.

Très soigneusement, les soldats britanniques regardèrent la zone de territoire appelée « *No Man's Land* », terrain vague et troué d'obus situé entre les tranchées. À leur étonnement, des chandelles se mirent à apparaître sur des arbres de Noël, du côté allemand. Des chants résonnèrent ensuite dans la nuit couverte de givre, en allemand et en anglais.

Le jour de Noël se leva dans un épais brouillard glacial. Des appels de part et d'autre traversèrent le *No Man's Land*, pour souhaiter un joyeux Noël aux soldats qui avaient été leurs adversaires acharnés.

Graduellement, à différents endroits le long du front de l'Ouest, des soldats se levèrent aux yeux de tous, agitant les bras et envoyant des appels vers le côté ennemi.

Bientôt, les soldats britanniques et allemands sortirent de leurs tranchées, traversèrent le *No Man's Land* et rencontrèrent leurs ennemis en face.

Comme les deux côtés avaient reçu des rations spéciales de Noël, y compris des puddings de Noël, de la bière et des biscuits, ils commencèrent à les échanger en cadeau. Ils échangèrent même des boutons de leurs uniformes, en guise de souvenirs. Les soldats ennemis se serrèrent la main et parlèrent de leurs familles.

Puis, quelqu'un sortit un ballon de soccer et suggéra un match international. Pendant une heure ou deux, les soldats oublièrent le combat et se concentrèrent sur une partie de soccer sur le sol gelé du *No Man's Land*. Des casquettes militaires servirent à marquer les limites des buts. Plusieurs parties eurent lieu à divers endroits du front de l'Ouest. Le seul pointage enregistré, cependant, fut de 3 à 2 en faveur des Allemands.

Cette trêve de Noël inattendue entre Britanniques et Allemands sur le front de l'Ouest se poursuivit de la veille de Noël au matin du 26 décembre à certains endroits, et pendant plusieurs jours de plus à d'autres. À une ou deux exceptions, on ne tira aucun coup de feu.

Hélas, les combats reprirent peu après, et la Première Guerre mondiale se poursuivit jusqu'en novembre 1918.

Dessine tes cadeaux de Noël préférés.

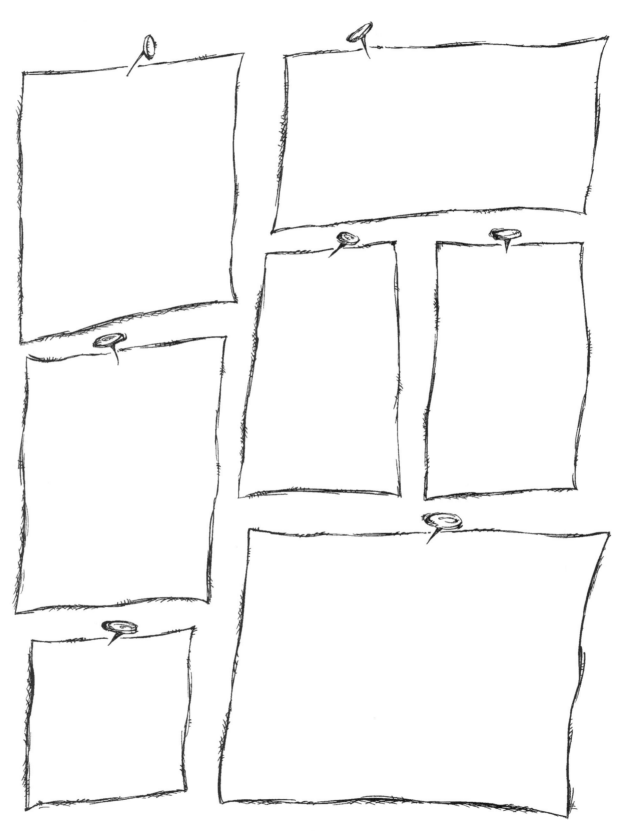

Dis merci

Des cartes faites à la main pour remercier pour les cadeaux de Noël sont beaucoup plus personnelles qu'un courriel de remerciement, et cette carte vraiment spéciale sera certainement chérie à jamais. Voici comment la fabriquer:

Il te faudra:

- 2 cartons 8½ sur 11 • des crayons de couleur • un bout du papier cadeau dans lequel le cadeau est arrivé • des ciseaux • de la colle
- de la gomme adhésive • un crayon • de la ficelle

Ce que tu as à faire:

1. Plie un des cartons en deux et pose-le devant toi, le pli en haut.

2. À gauche sur le carton, dessine un portrait de la personne qui t'a offert le cadeau, et à droite, une image de toi, les bras tendus pour le recevoir.

3. Déplie ton carton. Tu devras percer deux trous dans la carte: un à côté des mains de la personne qui t'a offert le cadeau, et l'autre à côté de tes propres mains. La manière la plus facile de le faire est de placer le devant de la carte au dessus d'un bout de gomme

adhésive et de pousser soigneusement un crayon à travers la carte.

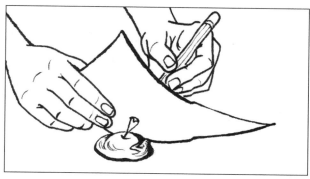

4. Découpe la forme d'un cadeau miniature dans le papier cadeau. Colle-la à l'autre carton et découpe-la.

5. Coupe un bout de ficelle un peu plus long que la largeur de la carte.

6. Perce un trou au centre du cadeau, en utilisant la méthode expliquée à l'étape 3 et enfile la corde par le trou.

7. Place les bouts de la ficelle à travers les trous sur le devant de la carte. Fais des nœuds à l'arrière afin qu'elle ne puisse sortir. Tu pourras alors déplacer le cadeau le long de la ficelle.

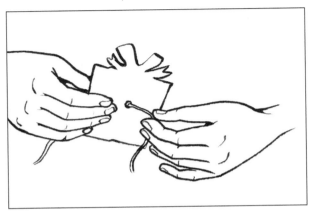

Conseils pratiques d'écriture

Maintenant que tu as confectionné ta carte splendide, il est temps d'écrire à l'intérieur. Voici comment écrire une note de remerciement extraordinaire...

Cher _____

D'abord, remercie-le ou la pour le cadeau et essaie d'utiliser un adjectif pour le décrire, comme par exemple: « Merci, beaucoup pour les délicieux chocolats / l'écharpe magnifique / le livre brillant. »

Puis, dis pourquoi tu aimes le cadeau ou comment tu as l'intention de t'en servir. Par exemple: «Je t'écris ce mot dans le pyjama que j'ai reçu - il est tellement chaud et douillet que je ne veux pas l'enlever ! »

Puis, dis quelque chose de personnel, comme « C'était tellement bon de te voir à Noël et je ris chaque fois que je pense à ces charades ! J'ai vraiment hâte de rejouer. »

Termine par un autre remerciement. « Encore merci pour un cadeau si plein d'attention. Tu sais vraiment choisir les présents. »

Avec tout mon amour,

_____ XXX

Peux-tu compléter Rudolphe?

Vrai ou faux ? À toi de décider

Grâce à ce jeu-questionnaire, teste les connaissances des convives
à la table du repas de Noël ! Vérifie les réponses à la page 255.

VRAI OU FAUX ?

1. Une dinde mâle s'appelle un « dindon ».

2. Un repas traditionnel de Noël en Suède peut comprendre du *lutefisk* — du poisson blanc qui a trempé dans la soude caustique.

3. Au cours des années 1660, lorsque célébrer Noël a été interdit en Angleterre, il était illégal de manger de la dinde, de l'oie, du canard ou du poulet le 25 décembre.

4. Le pudding de Noël — un dessert vapeur confectionné à partir de fruits — est traditionnellement trempé dans l'alcool et allumé avant d'être mangé.

5. En Italie, une coutume veut qu'on mange du cygne rôti la veille de Noël.

6. En Russie, selon la tradition, certaines gens jeûnent pendant 39 jours avant la veille de Noël.

7. Au Portugal, il y a un festin supplémentaire, le matin de Noël, appelé *consoada*. On réserve une place en souvenir des proches qui sont morts.

8. Au Canada, la tradition veut que l'on fasse rôtir un porc entier pour la *Nochebuena* (le festin de la veille de Noël).

9. En Israël, selon la tradition, on prépare un pain appelé la Tresse de Noël. Le pain est ensuite laissé sur la table jusqu'au 6 janvier, jour où il sera mangé.

10. Les tartes au mincemeat de Noël sont faites de viande émincée.

> *Eh, je pensais qu'on avait interdit Noël ! Laissez-moi tranquille !*

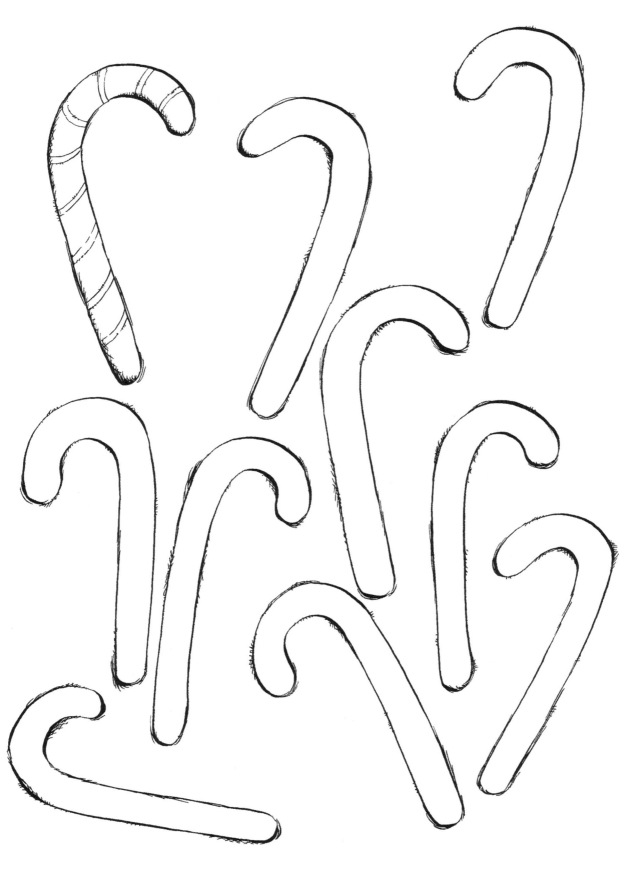

Colore les cannes de Noël.

Uniquement des desserts

Impressionne tes amis et ta famille avec des informations festives sur ces délicieux desserts de Noël. Colore-les afin qu'ils aient l'air bons à manger.

PUDDING DE NOËL

En Angleterre, au 14ᵉ siècle, le pudding de Noël ressemblait davantage à un porridge qu'à un dessert, composé de bœuf bouilli, de mouton et de fruits. Aujourd'hui, on n'y trouve pas de viande, mais la tradition veut que l'on cache une pièce d'argent à l'intérieur.

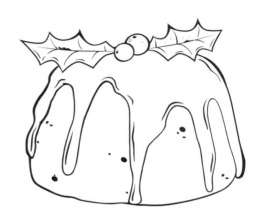

GÂTEAU DE NOËL

Dans tout le Japon, le gâteau de Noël est le dessert le plus populaire sur les tables de repas de Noël. Traditionnellement, le gâteau de Noël japonais est un gâteau éponge décoré de crème fouettée et de fraises.

TARTE À LA CITROUILLE

Aux États-Unis, la tarte à la citrouille — un dessert cuit au four — est appréciée le jour de Noël et lors d'autres fêtes, comme l'Action de grâces. La « journée nationale de la tarte à la citrouille » y est célébrée le 25 décembre.

FRIANDISES AU MASSEPAIN

Le massepain — une pâte douce, faite d'amandes moulues et de sucre — est arrivé en Europe du Moyen-Orient. En Allemagne, les friandises au massepain sont souvent moulées en forme de cochon ou de fruits, puis peintes de couleurs brillantes et données aux enfants en cadeau, ou placées sous l'arbre.

Décide avec un dé

Tu n'arrives pas à choisir quoi faire entre Noël et le retour à l'école ?
Fabrique ce dé qui te permettra de décider de tes activités !

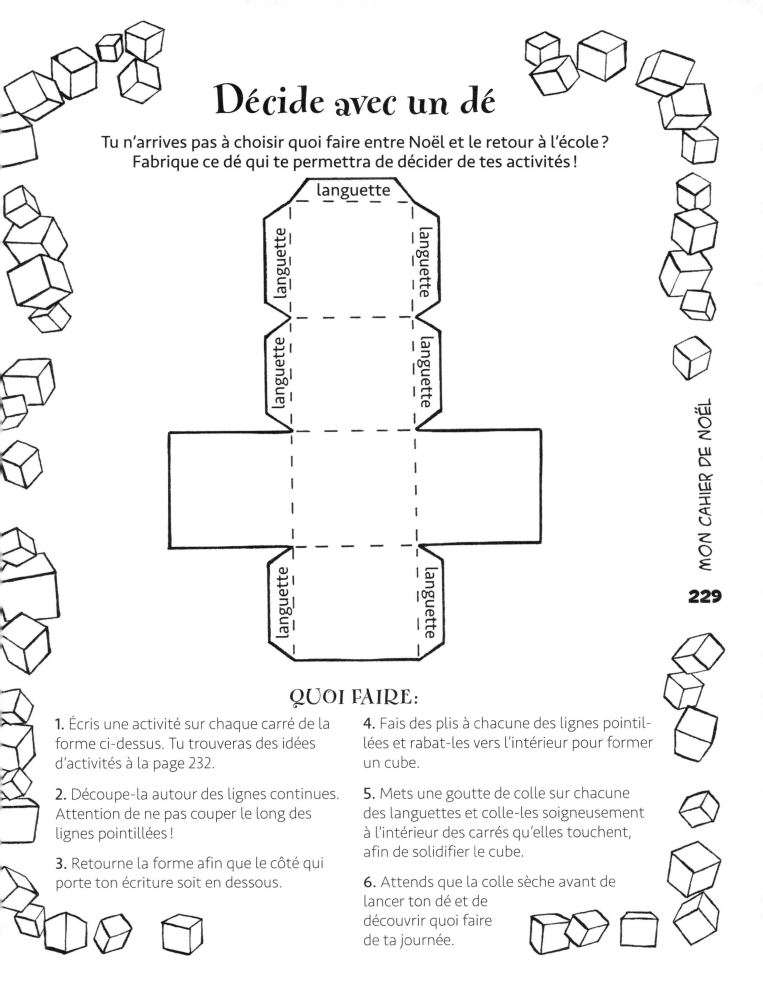

languette
languette
languette
languette
languette
languette
languette
languette

QUOI FAIRE :

1. Écris une activité sur chaque carré de la forme ci-dessus. Tu trouveras des idées d'activités à la page 232.

2. Découpe-la autour des lignes continues. Attention de ne pas couper le long des lignes pointillées !

3. Retourne la forme afin que le côté qui porte ton écriture soit en dessous.

4. Fais des plis à chacune des lignes pointillées et rabat-les vers l'intérieur pour former un cube.

5. Mets une goutte de colle sur chacune des languettes et colle-les soigneusement à l'intérieur des carrés qu'elles touchent, afin de solidifier le cube.

6. Attends que la colle sèche avant de lancer ton dé et de découvrir quoi faire de ta journée.

Quelle étonnante sculpture de glace !

Trouve l'inspiration

Voici quelques suggestions d'activités à écrire sur les carrés de ton dé.
Tu peux les utiliser, ou en trouver d'autres.

Réalise un « journal » familial à propos de ton congé de Noël.

Crée une sculpture à partir de tous les emballages et les restes de papier cadeau.

Écris tes cartes de remerciement

Crée une pièce de Noël et joue-la pour ta famille.

Organise une chasse au trésor pour ta famille.

Joue à des charades sur des thèmes de Noël.

Dessine de belles bottes à papa.

Crée une sculpture géniale.

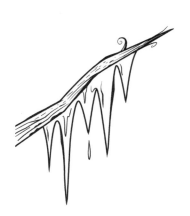

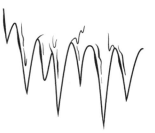

Donne aux rennes des bois tortueux.

Ajoute des lanternes de Noël.

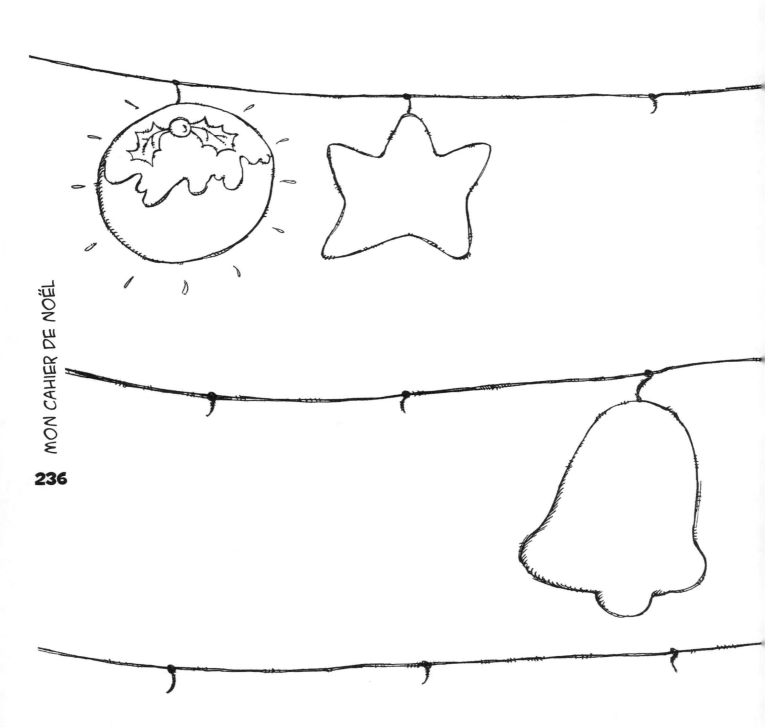

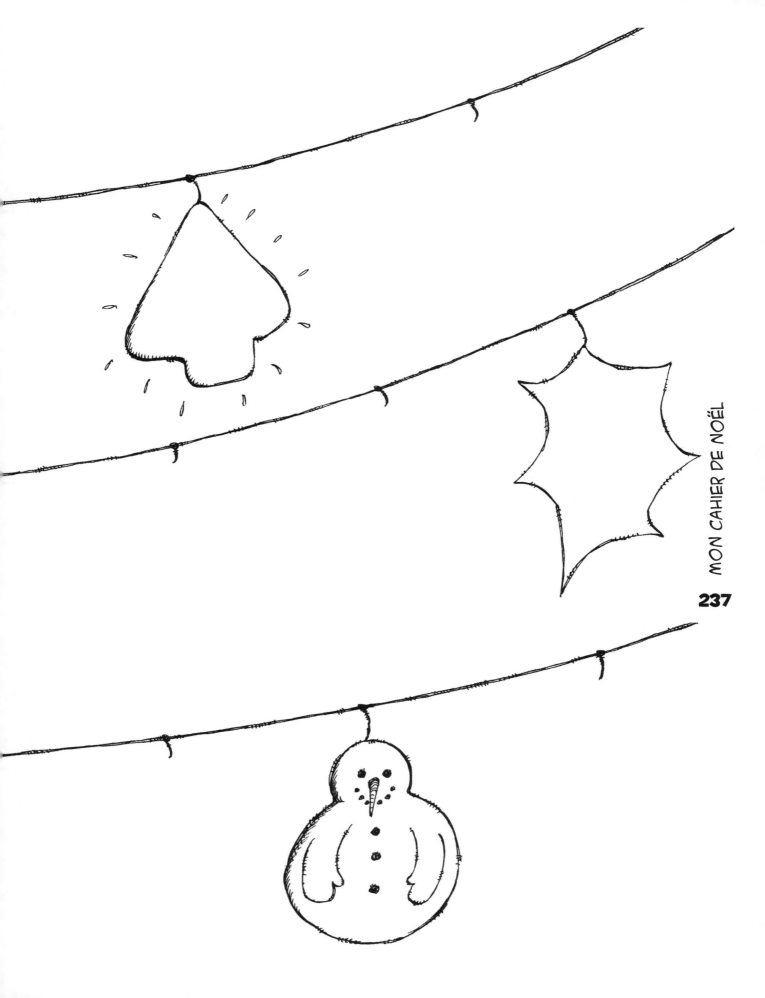

Les douze jours du calendrier de Noël

Noël, ce n'est pas qu'un seul jour — c'est douze ! Traditionnellement, Noël débute le 25 décembre et continue jusqu'au 6 janvier. Célèbre chaque jour des fêtes avec ce calendrier spécial.

Il te faudra:

- Papier cadeau de Noël • ciseaux • colle • marqueur doré
- 1 m de ruban ou de ficelle • gomme adhésive • petites épingles à linge
- petites gâteries (idées à la page suivante)

Ce que tu as à faire:

1. Découpe un carré de papier cadeau de 20 cm sur 20, et place-le, côté imprimé vers le bas, et l'un des coins face à toi.

2. Plie le coin gauche et le coin droit vers l'intérieur de telle façon qu'ils se rencontrent au milieu du carré.

3. Replie le coin du bas de telle façon qu'il chevauche les plis des côtés, comme le montre l'illustration ci-dessous. Forme bien la pliure. Ce sera le bas de ton enveloppe.

4. Déplie l'enveloppe, puis plie le coin du bas de façon à ce qu'il rejoigne la pliure que tu viens de former.

5. Plie le bas de l'enveloppe vers le haut, une fois de plus le long de la pliure originale, et replie les côtés vers le milieu par-dessus le rabat du bas replié.

6. Tourne un peu le haut de chaque rabat latéral vers le bas, de façon à créer un coin où ils rencontrent le rabat du bas, comme dans l'illustration.

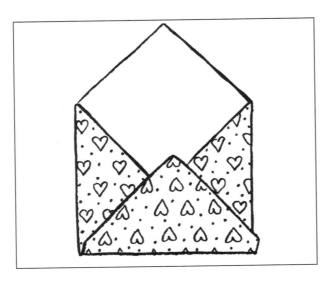

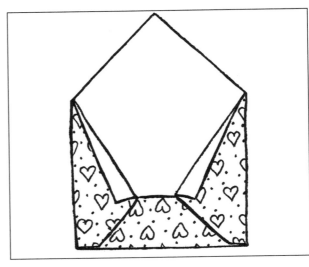

7. Déplie les côtés de l'enveloppe et replie le papier le long des pliures que tu viens de faire, afin que le motif apparaisse à l'intérieur.

9. Replie le rabat du haut juste en bas de l'endroit où les rabats latéraux commencent, et insère-le dans la pochette que tu as créée.

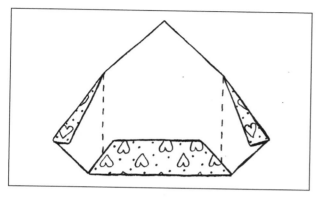

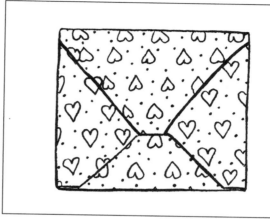

8. Replie de nouveau les côtés, et insère chacun des plis à l'intérieur du bas de l'enveloppe. Forme les pliures et fixe-les avec de la colle.

10. Répète les étapes **1** à **9** pour fabriquer onze autres enveloppes.

LE PREMIER JOUR DE NOËL...

Maintenant que tu as fabriqué les enveloppes, il est temps de les changer en calendrier spécial Douze Jours de Noël pour prolonger celui-ci. Voici comment...

1. Utilise le marqueur doré pour numéroter les enveloppes de 1 à 12 sur le devant, là où tu écrirais normalement une adresse.

2. Remplis les enveloppes de bonnes choses. TU peux inclure une blague de Noël, une idée de défi à compléter ce jour-là ou un chocolat enveloppé.

3. Colle le ruban ou la ficelle sur un mur au moyen de gomme adhésive, afin qu'il ou elle s'étende horizontalement.

4. Utilise les épingles à linge pour fixer les enveloppes en ligne le long du ruban.

5. À partir du 25 décembre, ouvre une enveloppe par jour et amuse-toi avec les bonnes choses qu'elle contient.

Aide le père Noël à arriver à la cheminée.

Fixe des baies au houx.

Jeux des fêtes

C'est la fête ! Complète ces devinettes, puis va à la page 255 pour vérifier tes réponses.

CODE DE FÊTE POUR VIP

Cette fête est tellement secrète que même l'invitation a été écrite en code.

Fais reculer chaque lettre de deux positions pour découvrir où a lieu la fête et à quelle heure elle commence.

Par exemple, si la lettre « c » apparaît sur l'invitation, remplace-la par un « a ».

Cttkxg c nc Ucnng fw Jqwz twg Fgpqgn c xkpiv jgwtgu vtgpvg.

ON DANSE

A. Combien de filles ont au moins un bras en l'air ?

B. Combien portent une ceinture ?

C. Combien ont des étoiles quelque part sur leur costume ?

D. Combien portent des escarpins ?

Qu'est-ce que le père Noël a apporté aux filles à la fête de Noël

Les flocons luisent...

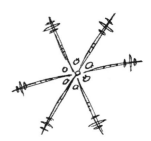

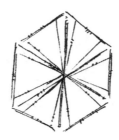

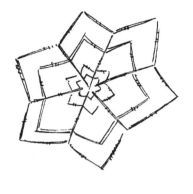

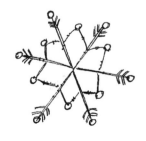

Album-souvenir des fêtes

Garde un album sur tes fêtes de Noël. Découpe des images et des messages à même des cartes de Noël, ajoute des étiquettes et des bouts de papier cadeau, et dessine les moments les plus amusants des fêtes.

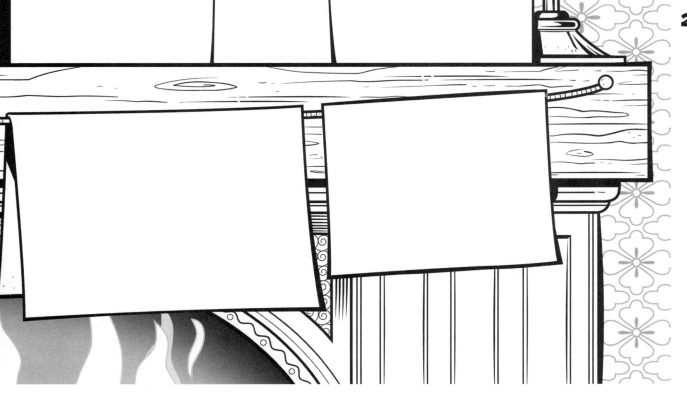

Remplie le ciel de merles

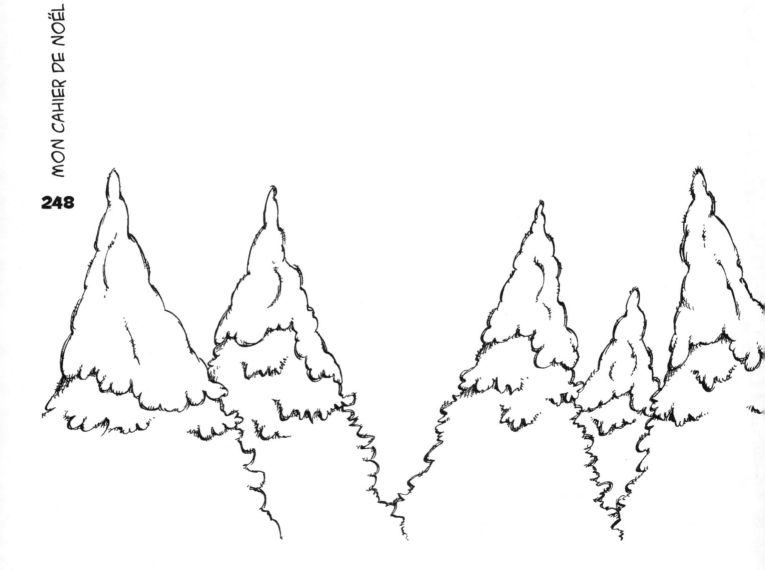

Prends tes résolutions du Nouvel An.

Toutes les réponses

NOËL DANS LE MONDE
page 9

L'information 9 n'est pas authentique. En Grande-Bretagne, les enfants accrochent des bas au-dessus de la cheminée ou à l'extrémité de leur lit.

COURSES D'HIVER
page 16

Voici Charlie:

B et **E** sont les skieurs identiques.

COURSE EN BOBSLEIGH
page 19

Bobsleigh **C**.

PLAISIR DES FÊTES EN FAMILLE
pages 24 et 25

1. C 2. C 3. A 4. B 5. C 6. B
7. B 8. C 9. D 10. C 11. D 12. A

METS TES PATINS !
page 46

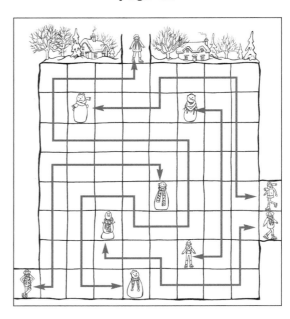

ATELIER DE JEUX
pages 20 et 21

Il y a 19 lutins dans à l'atelier du père Noël.

Les rennes **B** et **E** sont identiques.

LE JEU DE LA CANNE DE NOËL
page 50

FAIS UN VŒU À LA BONNE ÉTOILE
page 58

DÉCRYPTAGE DE NOËL
pages 62 et 63

VÉLO DE MONTAGNE
CONSOLE DE JEUX
PLANCHE À ROULETTES

Premier indice : Le prochain indice est caché au pied d'un conifère.

Deuxième indice : Le prochain indice se trouve dans un pot de fleurs.

Troisième indice : Ton cadeau secret est caché à dans une taie d'oreiller blanche.

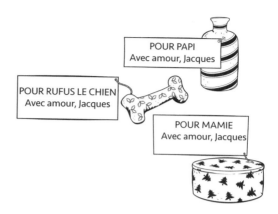

POUR PAPI
Avec amour, Jacques

POUR RUFUS LE CHIEN
Avec amour, Jacques

POUR MAMIE
Avec amour, Jacques

JEU-QUESTIONNAIRE DE NOËL
pages 66 et 67

1. D 2. A 3. A 4. C

5. B 6. D 7. C 8. A

9. B 10. C.

LES BOUFFONNERIES DE LUTINS
pages 72 et 73

1. C4 2. F3 3. G9 4. G3 5. F9 6. D2

Lucien le Lutin a besoin de toutes les pièces de la boîte **C** pour construire la voiture jouet.

LE CHAOS DES EMPLETTES DE NOËL
page 76

JOYEUX DÉDALE
page 83

DESTINATION : PÔLE NORD
page 90

Les ours polaires ne mangent pas de manchots, parce qu'ils habitent dans des parties du monde complètement différentes. Les ours polaires vivent dans l'Arctique, à l'extrême nord, tandis que les manchots vivent dans l'Antarctique, à l'extrême sud.

JEUX D'ANIMAUX
page 100

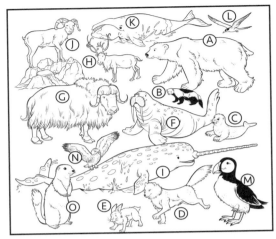

PISTES DIFFICILES
page 108

1 est Comète

2 est Tornade

3 est Cupidon

4 est Danseur

5 est Fringant

LA RUÉE DU PÈRE NOËL
page 110

1. D **2.** A **3.** B **4.** E **5.** C **6.** F

Le père Noël aboutirait sur le toit **B**.

1. Nord **2.** Les bois
3. Une colline **4.** Dans le sud
5. Un étang de patineurs **6.** Cinq

JEUX DES FÊTES
page 122

Le chapeau **C** est l'intrus.

MON CAHIER DE NOËL

252

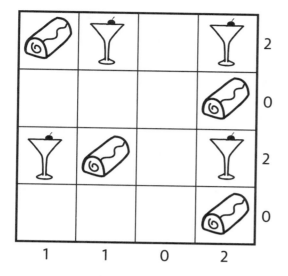

2

0

2

0

1 1 0 2

LE GUI MYSTÈRE
Page 129

DÉMÊLE LES GUIRLANDES ÉLECTRIQUES
page 135

La prise **C** est reliée à l'ampoule défectueuse.

UN NOËL BLANC
Page 142

La fille **B** a atteint tante Sarah avec sa boule de neige. Oups !

MON BONHOMME
Page 144

Le bonhomme de neige de Lydia est le **B**.

VRAI OU FAUX ?
Page 149

Les Ukrainiens croient que le fait de trouver une toile d'araignée la veille de Noël est signe de chance. **VRAI**

Les enfants italiens reçoivent des cadeaux d'une sorcière sympathique, ainsi que du père Noël. **VRAI**

Au Brésil, le père Noël porte des shorts rouges et blancs afin de pouvoir profiter de la chaleur estivale. **FAUX** — mais il porte des vêtements de soie pour le garder au frais.

En Espagne, les enfants jouent sur des balançoires à Noël, pour dire au soleil de « se balancer » haut dans le ciel au cours de l'année qui vient. **VRAI**

À la période de Noël, les garçons suédois se déguisent en branchettes de houx, avec des vêtements vers et des chapeaux rouges. **FAUX** — ils se déguisent en étoiles, avec des chemises blanches et des chapeaux pointus.

En Australie, le père Noël arrive à dos de kangourou. **FAUX** — mais il arrive parfois sur une planche de surf !

DES ARBRES COMPLIQUÉS
page 161

BISCUITS MÉLANGÉS
page 163

1. Paix
2. Joie
3. Fête
4. Joyeux
5. Festif
6. Sourire
7. Souhait
8. Heureux

SUDOKU DES NEIGES
page 176

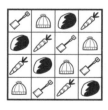

LE SUDOKU DU MAGASIN
page 177

DES PLATS SAVOUREUX
page 184

1. B **2.** E **3.** F **4.** A **5.** C **6.** D

Tu as acheté de la viande,
puis du fromage, puis du pain.

LE DÉFI DE LA BOUTIQUE DE BONBONS
PAGE 186

Avec la monnaie, tu pourrais acheter douze barres de chocolat. OU: TU pourrais acheter un biscuit, deux cannes, huit jujubes et neuf barres de chocolat.

PANIERS DE NOËL
page 206

1 est l'hôpital.
2 est l'église.
3 est l'organisme pour sans-abris.
4 est la résidence pour personnes âgées
5 est la garderie.

SURPRISE !
page 208

1. Derrière l'horloge. **2.** Sous le paquet de cartes. **3.** À côté du foyer

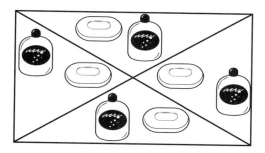

DONNER DES CADEAUX
page 212

Tu choisis des présents pour la personne **F** et la personne **L**.

RELIE LES POINTS
page 212

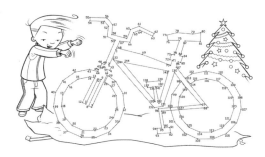

VRAI OU FAUX ? À TOI DE DÉCIDER
page 226

1. Vrai **2.** Vrai **3.** Faux: Noël a été interdit, mais il n'était pas illégal de manger de la volaille le 25 décembre **4.** Vrai
5. Faux: en Italie, la tradition veut que l'on célèbre la veille de Noël avec un festin de sept types de poisson **6.** Vrai
7. Vrai **8.** Faux: cette tradition est célébrée à Cuba **9.** Faux: la tresse de Noël ou *kolach* est une friandise ukrainienne **10.** Faux: ils sont fabriqués à base de fruits, mais au Moyen Âge, certaines gens y incorporaient aussi de la viande

JEUX DES FÊTES
pages 242 et 243

L'invitation codée dit:
Arrive à la salle du Houx, rue Denoël, à vingt heures trente.

A. Cinq filles ont au moins un bras levé en l'air.

B. Trois filles portent une ceinture.

C. Cinq filles ont des étoiles sur leur costume.

D. Trois filles portent des escarpins.